Alexander Widner · Sergej

Alexander Widner

SERGEJ

21 Szenen aus der Manege

Deuticke

Andere wuschen Eseln die Köpfe
und machten ihr Handtuch nicht umsonst naß.

François Rabelais, *Gargantua und Pantagruel*

PERSONEN

KRON

HIRRACH, *ältlich*

KLEINSTSCHMID

LEBERSORGER

BEINSTANGL, *dick*

DIE SENFMILCH, *groß, dürr*

DIE VIER ELFEN

ELISA, *Krons Frau*

MUTTER *von Elisa*

MARLENE, *Hirrachs Frau*

KLEINSTSCHMID, LEBERSORGER und BEINSTANGL tragen Masken und sprechen als DIE DREI chorisch. Auch DIE ELFEN oft chorisch.

1. Szene

(Leerer Raum, nur eine Couch, auf der liegt Kron, trinkt)

ELISA: Die Frau ist wieder da.

KRON: Welche Frau?

ELISA: Die mit dem komischen Namen.

KRON: Was für ein komischer Name?

ELISA: Frau Senfmilch oder so ähnlich.

KRON: Was will sie?

ELISA: Du weißt, die, die sich um alles kümmern soll. Einrichtung, Auswahl, Essen, Getränke, Extras, na, alles halt.

KRON: Ich weiß nichts, und das tu ich schon selbst.

ELISA: Sie ist da, weil du sie bestellt hast.

KRON: Bestellt? Zum Vögeln ist sie zu alt, zum Reden zu blöd. Stimmt's? Es kommen nur solche. Was soll ich also mit ihr?

ELISA: Soll ich sie wegschicken?

KRON: Ja. Ja. Nein. Nein. Ich erinnere mich. Die Starke. Herein mit ihr. Man soll das Alter ehren. Und auch vögeln. Ich will wissen, wie es ist im Alter. Das kannst du nicht bieten. Noch nicht. Entjungfern, entmuttern, entgroßmuttern, wie einst bei Hof, alles muß man kennen. Hol sie herein.

(Elisa zögert)

KRON *(schreit):* Hol sie herein. Hol sie herein, hab ich gesagt. Hol sie.

(Elisa ab)

DIE SENFMILCH: Guten Tag. Hier bin ich. Bestellt und da.

KRON: Hier sind Sie. Bestellt und da. *(Mustert sie)* Und in respektabler Form. Betrachtbar, sehr betrachtbar.

DIE SENFMILCH: Danke. Sie sind sehr nett, Herr Kron.

KRON: Ja, nett. Ihr Hut schaut aus wie eine Barockkirche.

DIE SENFMILCH: Das trifft sich. Ich bin sehr gläubig.

KRON: Zumindest Ihr Hut. Sie auch?

DIE SENFMILCH: Was wollen Sie? Religionsunterricht oder saubere Arbeit?

KRON: Beides.

DIE SENFMILCH: Gut. Was zuerst?

KRON: Religion oder Arbeit. Was zuerst? Schwierige Frage. Was war zuerst da?

DIE SENFMILCH: Überlegen Sie allein weiter. Lassen Sie mich dann wissen. Wir wollen die Zeit nützen.

KRON: Schön Ihre Entschlossenheit.

DIE SENFMILCH: Mein Großkapital.

KRON: Dann sei die Zeit genützt. Orientieren wir uns. Schauen Sie sich die Räume an.

DIE SENFMILCH: Für wen sollen sie sich eignen?

KRON: Für mich. Für mich zuerst. Ich bin das Zentrum dieser Räume.

DIE SENFMILCH: Und haben die Räume eine Aufgabe?

KRON: Wohlfühlen, schlicht wohlfühlen. Man soll sich so wohlfühlen in ihnen, daß man sie nicht mehr verlassen will, und man soll sich so wohlfühlen, daß man keine Wünsche abschlagen kann. Ein Paradies sollen sie werden, ein Paradies. Das Beste ist gut genug. Toben Sie sich aus. Kästchen von Rokoko will ich, Tischchen und Sesselchen auch, dazu Teppiche aus dem Morgenland und Tapisserien aus Versailles. Lüster aus Venedig. Die Bettchen sollen dem Barock entwichen sein, ausladend und pompös und komfortabel. *(Lacht schallend)* Das hat so was Imperiales, das mag jeder. Jede Nacht eine Hochzeitsnacht. In tausend und einer Nacht. Und Kunst muß herein. Viel Kunst. Dies sei ein Heim der Kunst. Wände sind die Heimat der Kunst. Ich beschäftige, nein, nicht beschäftige, das klingt so nach Geschäft, ich widme mich Kunst, der Kunst, der Kunst schlechthin, sooft und sobald mir die Geschäfte Zeit lassen dafür. Die Kunst, das müssen Sie wissen, hat sehr gewirkt auf mich, auf mein Bild von Welt und Mensch. Meine Hinwendung zum Menschen, im Umweg über die Welt, verdanke ich ihr. Meine Humaniores kommen aus ihr, gemeißelt in mein Gemüt. Leben ohne Humanitas, und auch das müssen Sie wissen, ist ein übler Witz. Keinen verderben zu lassen, auch nicht sich selber, jeden mit Glück zu erfüllen, auch sich, das ist gut. Meiner Hinwendung zur Kunst verdanke ich alles. Mein

Gefühl für meine Mitmenschen, die Mitkreaturen, die Mitkrüppel.

DIE SENFMILCH: Schön. Das ist schön.

KRON: Ja, schön. Wie gesagt, die Wände gehören der Kunst. Hier die Kunst der Geisteskranken. Kunstwerke sind Produkte totaler Hemmung. Die, die es besser wissen und machen sollten, sind genau so billig und weltgehemmt wie die übrige Menschheitsmischpoche: die Künstler. Nur die Kunst der Kranken ist totale Enthemmung. Vollkommene Anarchie. Fulminante Maler, diese Kopfkerle, diese kranken. Zeichnen und pinseln sich zu Tode und wissen nichts von allem. An dieser Wand die Kunst der Magenkranken, die ist so schön trübsinnig. Dort die Kunst der Bauchspeicheldrüsenkranken, die nehmen immer so starke Farben, feurig anzusehen wie Paradiesvögel und heiß wie Vulkane. Und jetzt zu den weiteren Gemächern, den Intimgemächern, intim muß es sein, überall, aber am intimsten in den Intimgemächern. Für die Wände nehmen Sie Kunst der restlichen Krankheiten. Nur keine Kunst der Geschlechtskranken. Die paßt nicht in intime Räume. Und die malen nur ordinär, nicht pikant, nur ordinär. Vulgärmaler. Grobe Thematik, grober Strich, grober Unfug. Die Geschlechtskranken sind die Säcke der Kunst. Und vor allem: Nur Bilder, keine Musik. Musikalische Bemühungen interessieren mich nicht, überhaupt Singgeheul ist eine Perversität, Mißbrauch der Kehle. Dieses Singzeug. Trinken ist Kehlenlabsal, Singen ist Verschnürung der Kehle. Und auch literarische Absonderungen mag ich nicht. Kein Buch. Schon auf der zweiten Seite wird mir schlecht. Auch filmische Extrakte finden nicht mein Vergnügen, und selbst die Eichhörnchentätigkeit des Kunstsammlers entspricht nicht meiner Pausenlosigkeit. Nur nach Laune kaufe ich Bilder. Krankenkunst zu kaufen ist tätiges Wohlsein. Oder Pornohefte fürs Altersheim. Das ist auch Dienst am Mitmenschen.

DIE SENFMILCH: Edel. Das ist edel.

KRON: Ja, edel.

DIE SENFMILCH: Doch gebe ich zu bedenken, daß der Mensch in seinem wehrlosen Hängen zwischen den unsichtbaren Mächten nach allen Händen der Kunst greift. Dem Frohton der Musikseuche, dem Mißton der Dichtungskopfwehmacher, selbst der Körpertändelei der Tanzverbogenen und den Aufgeregtheiten der Bebauer von Bühnenfeldern.

KRON: Sie haben recht. Auch mir ist dieser Menschendrang bekannt. Der Mensch sucht aber nicht die Kunst, nur ihr Äußeres, den Kunstglitter, das Kunstgewand. Meinetwegen. Kunst. Kunst. Meinetwegen. Brandauer soll Hamlet spielen, oder einen russischen Spion, es kommt aufs gleiche, Brendel, Schubert oder Lehár oder irgend so was, oder ein Hörbigerprodukt rezitiert alte Fetzen. Oder der Handke dichtet öffentlich ein Buch, dort im Eck, unter einem Glassturz, lesen muß es ja niemand, daneben vielleicht eine Harfenistin im weißen Chiffonkleid, mit silbernen Flügeln und Heiligenschein, umschwebt von einer Ballettausgezehrten, dazu Punschkrapferl. Kunst und Punschkrapferl, eine alte österreichische Einheit. Das gibt einen so schön verpickten Magen, aus dem das philosophische Bauchweh steigt. Der österreichische Denker.

DIE SENFMILCH: Fantasievoll. Das ist fantasievoll.

KRON: Ja, fantasievoll. Und damit sich niemand ausgeschlossen fühlt, dort ein paar Bilder von Gesunden.

DIE SENFMILCH: Gut. Das ist gut.

KRON: Ja, gut. Wohlfühlen muß man sich hier jedenfalls. Heimisch. Jedermann soll jederzeit gern kommen und nicht gehen wollen. Heimstatt für den labilen Genuß. Ein Platz des unbeschwerten Lebens. Sie wissen schon.

DIE SENFMILCH: Ja, ich weiß schon.

KRON: Und wenn man zum Fenster hinausschaut, sind die Bäume draußen vergoldet. Auch der Blick nach draußen muß kostbar sein. Das ist was für den Hundertwasser oder den Heller, der Dutzendgeschmack paart sich immer mit der Dutzendkunst, die machen alles so schön glänzend. Das sind so richtige Weihnachtsbaumaufputzer. Glas und Farbe und Gold und Silber und Lametta und Kristall und Edelstein und alles, was teuer ist und bei denen, o Bescheidenheit des Künstlers, dann trotzdem billig ausschaut. Vergessen Sie das nicht.

DIE SENFMILCH: Ich vergesse nie etwas.

KRON: Gut, nichts vergessen. Alles für mein Glück und das Glück von Mitmenschen. Es kommt kein Glück auf Erden dem gleich, welches ein schöner und fruchtbarer Geist zur glücklichen Stunde in sich selbst findet.

DIE SENFMILCH: Das ist schön. Schön und gelogen.

KRON: Ja, schön. Schön und gelogen. Ich rede in die Welt hinein. Und ich schweige in die Welt hinein.

DIE SENFMILCH: Und viel schreien Sie in die Welt hinein, wie ich höre.

KRON: Das lassen Sie meine Sache sein. Und vor allem meine Leidenschaft. Leidenschaft ist laut.

DIE SENFMILCH: Leidenschaft ist integer, daher nie laut.

KRON: Meine ist laut. Basta. Außerdem hört die Dame Welt schon sehr schlecht. Das Alter.

DIE SENFMILCH: Sie ist taub. Auch schreien hilft nicht.

KRON: In sie gebellt, das stellt ihr die Ohren auf. Dennoch kommt kein Glück auf Erden dem gleich, welches ein schöner und fruchtbarer Geist zur glücklichen Stunde im Menschen seines Vertrauens findet. Lassen Sie mich Sie begehren.

DIE SENFMILCH: Sie sind ein Mann.

KRON: Ja, ja, ein Mann. Ein Mann. So, so, ein Mann.

DIE SENFMILCH: Ich brauche keine Männer.

KRON: Frauen?

DIE SENFMILCH: Ich brauche keine Frauen.

KRON: Was dann? Hunde, Hengste, Stiere?

DIE SENFMILCH: Nichts.

KRON: Nichts? Wie, nichts?

DIE SENFMILCH: Mein Glaube.

KRON: Ihr Glaube? Ist mit Lust zu vereinen.

DIE SENFMILCH: Oh, mein Gott.

KRON: Warum gleich die höchste Instanz belästigen? Wegen ein bißchen Begierde. Unsere Arbeit wird zusammengeschweißt sein dadurch.

DIE SENFMILCH: Mein Glaube –

KRON: – hat Ihre Beine nicht zusammenwachsen lassen. Da rumort es.

DIE SENFMILCH: Es rumort nicht. Es ruht.

KRON: Warum wollen Sie bei mir arbeiten? Jede weiß, daß der Beischlaf die Grundvoraussetzung einer Zusammenarbeit ist hier. Geschäftsprinzip.

DIE SENFMILCH: Sie brauchen ein Wesen, das organisiert, nicht beischläft. Beischlaf haben Sie genug, Chaos auch. Organisation brauchen Sie.

KRON: Gut. Kommt Zeit, kommt Beischlaf.

DIE SENFMILCH: Nur Zeit.

KRON: Vielleicht ganz gut. Und neu. Nur im Zweck verbunden zu sein.

DIE SENFMILCH: Und wo liegt der Zweck?

KRON: Im Krieg. Im Vater. Im Krieg des Vaters. Mein Vater, er hat seinen Mann gestanden. Aber er hat den Krieg verloren. Er ist in den Wald gegangen, sich aufhängen. Ich bin ihm nach, ihn vom Strick schneiden. Seine einzige Schwäche habe ich aufgefangen. Und dann hat er wieder seinen Mann gestanden. O padre, armer Nazipadre. Der Pfarrer hat ihn entnazifiziert. Von der Kanzel herab. Großartig. Mein Vater? Oh, mein Vater, padre, caro padre mio, caro Nazipadre. Vom Selbstmordseil und von seinem Selbstmordsein geschnitten nach dem Krieg. Eine Persönlichkeit strengen Ausmaßes. Dazu zweifacher Doktor und vierfacher Hofrat. Wenn er einen Raum betrat, er ging nicht, er trat, wenn er in einen Raum kam, mit der ganzen Autorität seines Trachtenanzugs, wenn er trat, dann schien der Raum glücklich zu werden ob solcher Präsenz. *(Pause)* Ach was, eine Niete war er. Wegen ihm bin ich so klein. Als er geschlagen heimkam, hörte ich auf zu wachsen. Andere hörten auf zu wachsen, als ihre Eltern nach Auschwitz kamen. Das Jahr '45 war Vaters Auschwitz, seine Vernichtung. Als Protest gegen seine Kränkung hörte ich auf zu wachsen. Klein wollte ich meine Siege holen, als Zwerg. Gleich den andern Zwergen, die Geschichte machten und lieferten. Bis herauf zu Goebbels. Meine Kollegen. Klein und gediegen. Wachsen verbraucht nur Energien. Was wird schon aus großen Menschen? Basketballspieler. Vater hat den Krieg verloren. Sein Sohn muß ihn weiterführen.

Bis zum Endsieg. Das ist Vaters stiller Auftrag. Was für ein Mann. Aber er hat den Krieg verloren. Ein Vater namens Krieg, eine Mutter namens Amazone und eine Frau namens Heilige.

DIE SENFMILCH: Gut, einen Krieg wollen Sie. Einen Krieg? Geführt womit?

KRON: Mit Luxus und mit Huren. Eine Festung, eine Festung des Luxus muß entstehen hier. Verstehen Sie, Krieg mit Luxus. Mit Luxus und mit Huren. Und mit Waffen, wenn die Zeit es sagt.

DIE SENFMILCH: Es soll geschehen.

KRON: Ich wiederhole: als mein Vater heimkam aus dem Krieg, habe ich aufgehört zu wachsen. Das war meine Art des Protestes gegen das Zugrundegehen von Systemen und den an sie glaubenden Menschen. Ich bin exakt so groß wie ich bei Kriegsende war. Der Krieg muß weitergehen. Ich will wieder wachsen. Schon als Bub habe ich Krieg geführt. Damals habe ich Goldfische liquidiert. Wir müssen uns wieder das Abenteuer selbst suchen. Für Generationen war das keine Frage. Die hatten immer Kriege. Jede Generation ihren schönen eigenen. Lebensdauer ungewiß. Wir sind die erste Generation, die das ganze Leben durchstehen muß. Krieg, wir brauchen den Krieg, wie unsere Väter, unsere Heldenväter. Bauen Sie eine Festung. Schaffen Sie Luxus. Und vergessen Sie die Huren nicht. Die brauchen eine harte Hand. Fangen Sie an.

DIE SENFMILCH: Hinein in den Zweck.

KRON: Das hört der Kron gern.

2. Szene

DIE DREI: Und der Kron? Bei dem wir eingeladen sind?

HIRRACH: Ein Industrieideologe, denkt nach, damit Wirtschaftsbosse nichts verpfuschen können. Der wird Salz der Republik. Hat den Kopf voll Industrie. Und füllt auch seine Hände damit.

DIE DREI: Aha, aha, ja dann.

HIRRACH: Geld ist Geld, und alles andere ist alles andere.

DIE DREI: Ja. Richtig. Richtig. Ja. Das also ist's?

HIRRACH: So ist es.

DIE DREI: So ist es.

HIRRACH: Das Stück Mensch an sich. Geld und Mensch. Mensch und Geld. Das Stück Mensch an sich.

DIE DREI: Ja, ja. Wenn die wollen, wollen wir alle. Wenn das Wollen Wille ist, wollen wir alle Willen zeigen. Wenn ich wüßte, was die wollen. Ich machte es. Wenn ich könnte, wollte ich schon. Wenn ich wollte, könnte ich schon.

HIRRACH: Bleib, wo und was du bist.

DIE DREI: Wieso so?

HIRRACH: Wieso so? So!

DIE DREI: So! Wir machen den Staat. Staatenmacher nennt man uns.

HIRRACH: Ich bin ohne Leidenschaften. Ich habe nur Marotten. In die investiert man keine Energien. Glücklich bin ich. Ich bin immer nur dort, von wo ich leicht zurückkehren kann.

DIE DREI: Ich kehre zurück von dort. Mit leichtem Gepäck. Zu vollem Gepäck.

HIRRACH: Ihr habt genug.

DIE DREI: Genug? Wovon? Von allem paßt noch was zu mir. Und in mich hinein.

HIRRACH: Genug habt ihr.

DIE DREI: Den Buben koche ich mir ein. Den lege ich mir zurecht. Den packe ich beim Kragen. Den lege ich flach. Die goldene Gans wird geschlachtet.

HIRRACH: Leidenschaft, zuviel Leidenschaft.

DIE DREI: Heute Abend! Heute Abend!

3. Szene

KRON (*im Pyjama, geht den Raum ab, legt sich dann in ein Prachtbett*): Fertig! Nicht ganz das, was ich wollte. Aber was wollte ich eigentlich? Doch, doch, ganz heimelig. Ganz in Ordnung. Eigentlich bestens. Brillant fast. Nein, nicht fast. Brillant. Gut gemacht, Senfmilch. Frühstück! Hunger! Frühstück! Holen Sie die Huren herein.

DIE SENFMILCH *(geht zur Tür, ruft hinaus)*: Seid ihr fertig, ihr Elfen? Herein mit euch.

(Die Elfen, aufgedonnert, in Unterwäsche, tänzeln herein, springen zu Kron ins Bett)

KRON: Nein, nein, raus mit euch. Wie lang seid ihr schon bei mir? Ihr wißt doch, erst das Frühstück, dann das Geficke. Singt, Elflein, singt. Singt mich in den Tag. Am Morgen halte ich Gesang aus, nur am Morgen. Umsingt mein Frühstück.

DIE ELFEN *(springen aus Krons Bett, singen)*: Sie haben getrunken, nach Fusel gestunken, oh, wie tief sind sie gesunken.

KRON: Das ist blöd. Was anderes. Lustiges, Bodenständiges.

(Die Elfen singen verschiedene Volkslieder)

KRON *(schreit immer dazwischen)*: Ich glaube nicht an Morgen, vielleicht an Heute. Und Übermorgen ist Unfug, ein Witz. Die Stadtlandschaften aufbrechen. Den andern keinen Griff geben. Nicht heute, nicht morgen. Wo bleibt das Frühstück? Kaffee, Ei, Brot, Speck, schön durchgebraten. Wo bleibt Elisa? Senfmilch, kümmern Sie sich drum. Und ihr singt weiter, ihr Elfchen, singt, singt.

(Die Senfmilch ab. Elisa trägt auf einem Tablett Kaffee auf, stellt es Kron aufs Bett)

KRON: Brav, Elischen, brav. Und jetzt den Speck.

(Elisa ab. Die Elfen gießen für Kron Kaffee ein, singen immer weiter)

KRON: Toilettenspülen muß man die Menschlein. Wo bleibt der Speck?

(Elisa trägt Speck und Ei auf, geht gleich wieder ab)

KRON: Ein braves Weib, dieses Elischen. Eines Tages werde ich sie zur Leibdienerin ausrufen. *(Ißt)* Der ist vom Worcester Edelschwein. Da kenn ich mich aus. *(Ißt weiter)* Nie zuviel durcheinander machen. Wenig Leute, wenig Zeug, wenig, wenig, alles überschaubar halten. Wer hier überleben will, muß sich konzentrieren auf wenig. Keine Zweifrontenkriege. Speck mit Gesang.

(Die Elfen singen weiter Volkslieder und Schnadahüpfln)

KRON *(während er ißt und trinkt):* Groß bin ich und gültig. Christus,

Buddha, Mohammed, das sind schöne Namen. Warum sind die schon vergeben? Als Wolken ziehen sie über den Himmel. *(Schreit hinaus)* Senfmilch, Senfmilch!

DIE SENFMILCH *(kommt nicht allzu rasch)*: Ja?

KRON: Sagen Sie Elisa, ich wünsche den Speck besser durchgebraten, meinetwegen geröstet. Sagen Sie ihr das.

DIE SENFMILCH: Ich werde es sagen. *(Ab)*

KRON: Auf einem Quadratzentimeter Haut sind mehr Lebewesen als Menschen auf der Welt. Soviel zur Bedeutung der Menschheit. Singt, singt! Ich brauche keine Zuhörer. Singen sollt ihr, singen.

(Elisa kommt herein, nimmt das Tablett, geht wieder)

KRON: Gesang am Morgen erinnert mich, daß ich noch am Leben bin. Gesang gehört in den Morgen, gegen Abend ist er nicht auszuhalten. Singt ein paar Weihnachtslieder. Die sind immer schön.

(Die Elfen singen aus einem bekannten Weihnachtslied)

KRON: Schön, schön. Immer schön. Außer zu Weihnachten. Wo bleibt der Speck?

(Elisa kommt wieder mit dem Tablett herein, stellt es Kron ins Bett)

KRON *(kostet gleich)*: Jetzt ist er richtig. Hervorragend. Elisa, du bist erste Wahl. Ich habe gewußt, wen ich heirate. *(Nimmt einen Bissen)* Bist du glücklich, Elisa?

(Elisa steht nur stumm da)

KRON: Ich habe dich gefragt, ob du glücklich bist. Bist du glücklich, bist du glücklich mit mir? Ich mag keine unglücklichen Frauen. Bist du glücklich?

ELISA: Ja.

KRON: Das klingt nach zuwenig Glück. Sag es lauter. Sag: Ja, ich bin glücklich, ich bin glücklich mit dir.

(Elisa bleibt noch immer stumm)

KRON: Was ist, Elisa? Ich will dein Glück bestätigt haben. Sonst bin ich unglücklich. Du willst doch nicht mein Unglück?

ELISA: Ja. Ja. Ich bin glücklich. Ich bin glücklich mit dir.

KRON: Jetzt bin ich glücklich. Es schmeckt gleich doppelt so gut. Etwas Brot noch, Elisa. Und Marmelade. Marmelade und Speck schmeckt lustig. Aber was lustig schmeckt, soll man nicht essen. Keine Marmelade.

(Elisa ab)

KRON *(stopft in sich hinein)*: Die andern, die sollen bei Neumond Scheiße fressen. Die sollen bei Neumond Scheiße fressen, wenn sie nicht parieren. Von den Volksmetastasen laß ich sie alle auffressen. Der Volkskrebs, der Volksinfarkt komme über sie. Der Volkskatheter, der Volkslärm, der Volkskomiker. *(Ißt weiter)* Die Menschen verwöhnen. Aber mit dem Schrecken.

(Elisa kommt mit einem Brotkorb)

KRON: Meine glückliche Elisa. Willst du ein paar Lieder hören? Die singen auch für dich.

ELISA: Nein. *(Ab)*

KRON: Nein, nein. Na ja, sie war noch nie musikalisch. *(Ißt)* Die Politik steht. Sie horcht auf die Wünsche des Kapitalismus und exekutiert sie dann. Sie gibt nichts vor, sie steht mit leeren Händen da. Sie handlangt nur. Sie hilft dem Kapitalismus, sich zu erfüllen. Mehr hat sie nicht zu tun. Wer das weiß, und ich weiß, geht mit diesen Leuten um ganz anders. Und ich will dabeisein, wenn sich alles erfüllt. Meine Träume sollen nicht schlafen. Ich will sie tanzen lassen. *(Lacht)* Tanzt, meine Elfen, tanzt. Genug gesungen, tanzt.

(Die Elfen tanzen um Krons Bett herum)

KRON: So läßt sich frühstücken. *(Trinkt einen tiefen Schluck Kaffee, rülpst)* Wo ich bin, sollen Bomben sein. Genug gegessen, genug von allem. Senfmilch, abräumen.

(Elisa kommt schnell herein, räumt die Frühstücksreste und das Geschirr ab, geht wieder schnell hinaus)

KRON: Und zu Mittag was Leichtes, Elisa, Fisch oder Kalb. Elisa ist brav. Sie war widerborstig. Sie hat sich gewandelt. Ich habe ihr das Kreuz gebrochen. Jetzt ist sie kätzchenweich, hundetreu, lammfromm. Als Bedingung des eigenen Daseins ist notwendig eine dienende Frau. Mädchen, Mädchen. Mein Engelchen, mein Tierchen. Elischen, das Bravmädchen. Elisa, die Reine, Elischen, das Dienstmädchen. *(Lacht)* Herein mit euch, ihr Elfchen. Husch, husch.

(Die Elfen springen kreischend zu Kron ins Bett)

KRON: Und was wird nach dem Essen gesungen?

(Die Elfen singen »Nun danket alle Gott«)

KRON: Genug gedankt. Senfmilch, Schnaps für die Verdauung.

(Elisa bringt ein Glas mit Schnaps. Ab)

KRON: Dank, glückliche Elisa. *(Trinkt den Schnaps, wirft das leere Glas gegen die Wand)* Ab ins Vergnügen. *(Ohrfeigt eine Elfe nach der andern)* Ihr seid zu müßig. Seid tätig. Faulheit bringt Geilheit.

DIE ELFEN *(lachen)*: Faulheit bringt Geilheit.

KRON: Und Geilheit bringt Hurenheit.

DIE ELFEN: Und Geilheit bringt Hurenheit.

KRON: Und Hurenheit bringt Krankheit.

DIE ELFEN: Und Hurenheit bringt Krankheit.

KRON: Und Krankheit bringt Elendigkeit.

DIE ELFEN: Und Krankheit bringt Elendigkeit.

KRON: Und Elendigkeit bringt Totheit.

DIE ELFEN: Und Elendigkeit bringt Totheit.

KRON: Und die wollen wir doch nicht. Fangen wir also von vorn an. Bei der Geilheit. *(Greift allen an die Brüste)*

DIE ELFEN *(kichern)*: Geilheit, Geilheit, Geilheit.

KRON: Wie wär's mit ein bißchen Schwängern?

DIE ELFEN: Schwängern. Schwängern. Schwängern. Dudldu, dudldü.

KRON: Gefickt wird von allen, geschwängert nur von mir. In meinem Revier schwängere nur ich. So ist es, und so soll es bleiben.

DIE ELFEN: So ist es, und so soll es bleiben.

KRON: Dir mach ich ein Kommunistenschwein in den Bauch hinein.
Dir mach ich ein Faschistenschwein in den Bauch hinein.
Dir mach ich ein Royalistenschwein in den Bauch hinein.
Und dir mach ich ein Demokratenschwein in den Bauch hinein.

DIE ELFEN: Er ist ein großer Ficker. Er ist ein Riesenmann. Er ist ein großer Ficker. Er ist ein Menschenschwamm.

KRON *(begattet alle vier Elfen, lacht dann schallend)*: Mutig entscheiden, ungerecht handeln, fröhlich scheißen, wild vögeln. Das seien die Maximen des Lebens. Des meinigen. Und jetzt an die Geschäfte. Husch, husch, raus, raus, ihr Weiber.

(Die Elfen springen aus Krons Bett)

KRON: Senfmilch, Senfmilch, kommen Sie.

DIE SENFMILCH *(kommt herein)*: Ja?

KRON: Nehmen Sie die Weiber ordentlich an die Kandare. Raus mit ihnen.

DIE SENFMILCH: Raus, ihr Hürchen, raus jetzt. Und ihr wißt, was ihr zu tun habt für heute abend. Ruhen, duschen, schön sein. Raus. Ihr wißt, was ihr zu tun habt.

DIE ELFEN *(skandieren im Hinausgehen)*: Er ist ein großer Ficker. Er ist ein mut'ger Mann. Er ist ein Richtighandler. Er täuscht, wo er nur kann. Er ist ein großer Ficker. Er ist ein Menschenschwamm.

KRON *(lacht)*: Schön. Brav gelernt. Gut durchwalken und mit einem Stoß in den Arsch zur Tür hinaus. Das Gebet, Senfmilch. Wir haben das Gebet vergessen. Wir wollen den Tag damit beginnen. Beten Sie vor.

DIE SENFMILCH: Mein täglich Geld gib mir heute.

KRON: Mein täglich Geld gib mir heute.

DIE SENFMILCH: Mein täglich Weib gib mir heute.

KRON: Mein täglich Weib gib mir heute.

DIE SENFMILCH: Meinen täglich Helfer gib mir heute.

KRON: Meinen täglich Helfer gib mir heute.

DIE SENFMILCH: Mein täglich Heil gib mir heute.

KRON: Mein täglich Heil gib mir heute.

DIE SENFMILCH: Meinen täglich Spaß gib mir heute.

KRON: Meinen täglich Spaß gib mir heute.

DIE SENFMILCH: Meinen täglich Fraß gib mir heute.

KRON: Meinen täglich Fraß gib mir heute.

DIE SENFMILCH: Meinen täglich Suff gib mir heute.

KRON: Meinen täglich Suff gib mir heute.

DIE SENFMILCH: Meinen täglich Sieg gib mir heute.

KRON: Meinen täglich Sieg gib mir heute.

DIE SENFMILCH: Ich glaube an die Kirche und an das Saumzeug des Teufels.

KRON: Ich glaube an die Kirche und an das Saumzeug des Teufels.

DIE SENFMILCH: Amen.

KRON: Amen. Und jetzt geben Sie mir wirklich was zu trinken.

(Lacht) Und eine Hur' aus Bruck an der Mur. Eine Frau besteigen, beiläufig besteigen wie einen Zug.

(Die Senfmilch gibt Kron ein Glas und eine Flasche)

KRON *(füllt das Glas)*: Was steht zu Programm, Senfmilch?

DIE SENFMILCH: Der Abend heute.

KRON: Ja, der Abend heute. Wer kommt?

DIE SENFMILCH: Sie wissen es.

KRON: Sie sollen es mir sagen. Dafür sind Sie da. Der Abend. Ach ja, ich weiß schon. Treffen mit neuen Freunden. Freund nennt man jeden, den man noch nicht genau kennt.

DIE SENFMILCH: Das sind der Kleinstschmid, nehme ich an …

KRON: Und Gott schuf den Großeitlen von Kleinstschmid, sabbernd und gierig. Schweinspeinlichblöd.

DIE SENFMILCH: Ich mag gern blöde Menschen.

KRON: Eine Scheibe.

DIE SENFMILCH: Eine Scheibe? Was meinen Sie damit?

KRON: Eine Scheibe. Ich erkläre nicht. Daran müssen Sie sich gewöhnen. Er ist eine Scheibe.

DIE SENFMILCH: Gut. Dann der Lebersorger.

KRON: Ein Kugelfisch. Ein Mensch in Glas. Mit seinem Gurgelpropeller will er weismachen, daß er nur so fliegt von Problem zu Problem, alles im Flug erledigt und weiterfliegt zum nächsten Problem. Der landesübliche Wichtigturabauke. Als Ballast in die Welt gedrückt.

DIE SENFMILCH: Der Beinstangl?

KRON: Eine fliegenfangende Kröte. Verfressen. Geeignet für alles und nichts. Aber eben auch für alles. Im Grunde sind sie alle vom selben Schrot und Korn. Gleiche Typen, wie auf einem Laufsteg.

DIE SENFMILCH: Und der Hirrach?

KRON: Ein Sonderkapitel. Bei anderer Berufswahl ein zweiter Rosegger. Oder ein Zwölfender. Dazu geistig leicht verkrüppelt, arrogant und überständig. Der Charme des Adels. Des niederen, meine ich. Und so was pflanzt sich auch noch fort. Für Waffen braucht man eine Genehmigung. Kinder darf jeder Trottel haben. Alle nützen, mit keinem zuviel reden. Sie sind nur Verbindungsglieder zur Macht. Jederzeit abzureißen. Der Abend heute ist wichtig, Senfmilch. Es muß rauschen.

DIE SENFMILCH: Es wird rauschen.

KRON: Da werden sie kommen, die Sozialministranten und die Schwarzböcke und die Bischofsfürze und die vom Schreien Heiseren. Die machen einen Staat aus? Und da soll man nicht lachen dürfen? Gib dich nie mit allen ab. Konzentriere dich auf eine Rasse im Staat. Dann hast du Freunde. Im andern Fall sind alle deine Feinde im Staat, diesem überschätzten Klotz, der sich für unfehlbar hält. Wer unfehlbar ist, ist auch unfehlbar blöd notfalls. Die Unfehlbarkeit mit ihren vielen Seiten. Die Unfehlbarkeit als Staatstragödie. Man bleibe mir vom Hals damit. Unsere republikanischen Gespräche handeln das Problem ab, ob Republikaner vor Königen und Königinnen einen Hofknicks machen sollen. Ein anderes Gespräch geht auf die tiefe Frage ein, ob ein Monarch furzt oder seine Luft anderwärts abläßt. Und dann wird bedauert, daß nichts Besseres da ist als Gesprächsstoff. Aber das führt zu nichts. Bei uns wird nur weiter bedauert, nichts geändert. Alles muß klappen, Senfmilch. Sie müssen ertränkt werden. Das ist Ihre Prüfung, Senfmilch.

DIE SENFMILCH: Es wird klappen. Weil ich klappe.

KRON: Ich zähle auf Sie. Denn man soll nichts tun, wo man von der Gnade anderer abhängig ist. Das genügt nicht als Lebensfüllung. Ab heute abend will ich die Gnade sein.

DIE SENFMILCH: Hoch gegriffen.

KRON: Darunter greifen kann ich noch immer.

DIE SENFMILCH: Nein, das tun Sie nicht. Eher fallen Sie.

KRON *(lacht)*: Das gefällt mir. Und jetzt möchte ich ein Bad nehmen. Die Welt soll sich drehen. Gleich nach dem Aufstehen. *(Springt aus dem Bett)*

DIE SENFMILCH: Ihr Körper ist keine Besonderheit. *(Geht ab)*

KRON *(lacht wieder)*: Nur für Sie nicht. Und vergessen Sie die Huren nicht. Die brauchen eine starke Hand, damit sie funktionieren. Auch das übrige Personal. Alle kurz halten. Zuviel Auslauf schwächt nur. *(Zu sich)* Die soll bleiben. Ein starkes Weib. Wer gegen mich keine Rücksicht hat, hat sie gegen niemanden. Solche Menschen sind treu. Die geborene graue Eminenz.

4. Szene

KRON: Herein, Freunde. Zur Weihe des Hauses. Weiht, sauft und kotzt. Kinder müssen wir sein heute, wieder Kinder.

DIE DREI: Er ist lustig.

KRON: Lustig? Lustig sind betrunkene Kinder. Die Milch gegen Wein tauschen. Lustig. Da kann man lachen. Ein betrunkenes Kind ist eine Welt. Unglaublich. Wenn es lallt. Sich anscheißt. Köstlich. Kinder müssen wir bleiben. Wer ist diese Frau?

HIRRACH: Meine Frau. Marlene.

KRON: Marlene. Und weiter?

MARLENE: Marlene Hirrach.

KRON: Tatsächlich seine Frau.

HIRRACH: Ja, tatsächlich. *(Lacht)*

KRON *(lacht auch)*: Ja, tatsächlich. Wie lang schon? Und wie lange noch?

(Hirrach will erwidern)

KRON: Nur ein Witz, ein Witzchen. Ich bin ein betrunkenes Kind heute. Das darf alles. *(Schlägt Marlene auf den Hintern)* Und ihr dürft auch.

DIE DREI: Lustig. Lustig. Lustig.

HIRRACH: Bevor er die Frauen kennenlernte, lernte er den Krieg kennen. Das lebt noch in ihm. Frauen erlegt er, er ist auf der Jagd. Im Krieg, wenn man so will. Bei Vollmond heult er mit den Hunden.

DIE DREI: Lustig. Lustig. Lustig.

MARLENE: Lustig und scheußlich. Scheußlich. Männer auf der Pirsch.

HIRRACH: Marlene. Die Jagd war immer das vornehmste Vergnügen der gehobenen Kreise.

MARLENE: Vornehm?

HIRRACH: Vielleicht nicht der richtige Platz für dich. Männerklub.

MARLENE: Ich seh.

DIE DREI: Lustig. Lustig. Lustig.

KRON: Trinkt. Trinkt. Auch die, die ich nicht kenne. Und wie immer kenne ich nur die wenigsten Besucher. Trinkt, trinkt. Vergeßt der Freuden nicht.

(Alle trinken, setzen sich zwanglos)

DIE SENFMILCH *(kommt mit den Elfen herein, stellt sie auf, dreht sie nacheinander hin und her)*: Hier Greti, mein Modell Madame Mallorca. Dies ist Uschi, mein Modell Madame Torpedo. Hier Sigrid, mein Modell Madame Antenne. Und hier Sigi, von Siegfriede, mein Modell Madame Granate.

(Alle applaudieren. Die Elfen sind geschäftig zwischen den Besuchern)

DIE DREI: Lustig. Lustig. Lustig.

HIRRACH: Seine Abende zu besuchen ist rentabel.

KLEINSTSCHMID: Möglicherweise genußvoll.

BEINSTANGL: Unbedenklich.

LEBERSORGER: Eine schöne Sitte offenbar.

MARLENE: Eine Jagdfiebertruppe.

HIRRACH: Trink, Marlene. Das löst.

MARLENE: Gut, ich trinke. Ich trinke. Sehr wohl, Herr Gemahl.

DIE DREI: Was tut sie hier? Belämmert alles.

LEBERSORGER: Die Tische biegen sich.

BEINSTANGL: Des Lebens Fülle tut sich auf.

KLEINSTSCHMID: Europäische Sitte.

KRON: Sitte? Ihr seid in Ämtern, die keinem Menschen guttun. Tut also wenigstens mir Gutes. Mir und euch. Das könnte ich Sitte nennen.

LEBERSORGER: Das nennen wir Gelegenheit.

BEINSTANGL: Auch Brauch.

KLEINSTSCHMID: Auch Vernunft.

HIRRACH: Es ist Staatsräson, meine Herren. Staatsräson.

DIE DREI: Staatsräson. Wie richtig, Hirrach, Staatsräson. Sitte, Gelegenheit, Brauch, Vernunft, Staatsräson. Staatsräson. Ein kostbares Wort.

KRON *(springt auf den Tisch)*: Kostbar? Was ist kostbar bei uns? Bei uns verkommen alle Sitten zum Brauch. Geld und Orden, das macht unabhängig und kostbar. Hirrach, verschaff mir einen Orden, einen Orden, nicht so ein Dutzendblech, das man jedem Kretin zur Pensionierung ans Sakko steckt, einen hohen Orden, irgend so was mit Band. Ist zwar auch ein Dreck, aber mein Vater hat so was zu Haus herumliegen, da will ich nicht nachstehen. Geld und Orden. Das macht unabhängig. Unabhängig von der Dekadenz dieser Welt. Schwarze Krämer und rote Löffler. Und dazwischen die paar andern Hauferln. Parteispenden im Gegenzug für Parteisprüche. Bei der Organisation der Menschheit, da hat sich der Erfindergeist Gottes in den Arsch gebissen. Aber: wenn Gott barmherzig ist, dann ist die ewige Verdammnis ein schlechter Priesterwitz. Ist es umgekehrt, dann ist die Barmherzigkeit ein schlechter Gotteswitz. Der Mensch marschiert auf. Die Republik marschiert auf. Ein Laufsteg mit allen Typen dieser Erdenmisere. Und man lehnt sich so lang an jemanden, bis der nachgibt. Lauter Einser in der Schule. Ein braver Bub. Aber ich habe mich mit Lob nie abgefunden. Gelobt werden, dienen und wünschen, diese Kombination ist hilflos. Das gesunde Volksempfinden, diese schweinische Innerlichkeit, siegt immer. An den Schnüren ziehen, bis sie in den Hals schneiden. Jede Zeit nimmt sich wichtig. Dabei hat sie nur die Funktion, dazusein. Für uns. Wir leben nicht in einer guten Zeit, wir leben nicht in einer schlechten Zeit. Wir leben einfach in einer Zeit. Weil sie da ist. Und die in ihr leben, leben alle nur auf der Höhe ihrer Zeit, keinen Zentimeter darüber. Darum ist jeder Staat ein Trottel. *(Alle lachen)* In dieser Republik kann und darf ich alles. Ich halte die Sauschwänze dieser Republik in der Hand. Bald. Bei Bedarf quetsche ich sie. Die rosigen Ferkel wachsen und laufen hinter mir her. *(Lachen)* Diese Schweinerepublik ist ein groß angelegtes Blendwerk. Alles zu groß oder zu klein, nichts im Maß. Nichts paßt in diesen und zu diesem Staat. Außer einem Minister, der da sagt, Rindfleisch ist nicht nur Ware, sondern auch ein Stück Heimat. Der paßt hierher. Aber was soll man mit so einem Rindvieh? *(Lachen)* Der Aufbegehrende zeigt sein Gesicht, der Gehorchende hat es abgelegt, abgezogen. Die Gesichter der Republik. Ein

Mann mit Angst ändert sich. Schmutzig, raffgierig, alles an Schmutz hat dieses Jahrhundert. Aber es ist mein Jahrhundert. Ich schäme mich nicht. *(Alle wiehern vor Lachen)* Du mußt immer auch die andern leben lassen, sonst werden sie korrekt. Ist es nicht so?

ALLE: Füttern, füttern.

KRON: Ja. Füttern. Das Leben ist zuallererst damit beschäftigt, sich am Leben zu erhalten. Ihr wißt es nur nicht. *(Lachen)* Ich könnte ja die Eröffnungsrede der Salzburger Festspiele halten. *(Lachen)* Was für eine Gaudi, was für ein Schwall. Und dann laß ich diese Rede vertonen, für großes Orchester und Sopran. Als Nationalhymne, die was taugt, endlich, nach unserem lahmarschigen Leiergeseires. Schon immer haben kleine Männer die Welt am besten erleuchtet. Da schaut, hier, meine leuchtenden Schultern. Schaut, schaut. Schaut, hab ich gesagt! Leuchten sie nicht, meine Schultern? Leuchten sie?

KLEINSTSCHMID: Wie ein Christbaum. *(Alle lachen)*

KRON: Machst du Witzchen, Kleinstschmid? Versuchst du, Witzchen zu machen? Ja, tatsächlich, du versuchst, Witzchen zu machen. Laß das. Witze mache ich, nur ich, ich bin der Kasperl, nur ich. *(Zieht eine Pistole, zielt auf Kleinstschmid)* Noch ein Witzchen, und ich schieße. Hast du ein Witzchen, wahrhaftig ein Witzchen gemacht?

KLEINSTSCHMID: Nein, nein, niemals. Ein Christbaum leuchtet doch schön.

KRON: Und warum habt ihr alle dann gelacht? Habt ihr gelacht?

ALLE: Nein, nein, nein. Nie.

KRON: Gut, ihr habt also gehustet, nehme ich an. Habt ihr gehustet?

ALLE: Wir haben gehustet.

KRON: Unisono erkältet. Eine schöne Gesellschaft. Raus, Kleinstschmid, raus. Du bist nicht würdig. Du mußt dich erst bewähren, bis du wieder zugelassen wirst. Raus!

(Kleinstschmid zögert)

KRON *(springt vom Tisch, packt Kleinstschmid am Kragen)*: Raus, Raus mit dir. *(Schleift ihn durch den Raum)* Raus mit dir. *(Schießt*

Kleinstschmid nach, springt zurück auf den Tisch) Ihr seht, ich mache Fortschritte. Früher war ich ein dummer Bub, heute bin ich ein dummer Erwachsener. *(Pause)* Lacht, oder war das kein Witz? Warum lacht ihr nicht? *(Alle lachen)* Na also, muß ich euch Witze auch noch erklären?

(Die Elfen beginnen unvermittelt zu singen)

KRON: Kusch. Zu früh. Kusch. Nicht jetzt. Er war zu lustig. Keiner reißt Witze. Der Kasper bin ich. Ich bin der Clown. Der beste von allen. Der Universalclown. Noch Gott lacht über mich. Ich habe einen gewissen Eros wie alle Heiligen. Und alle Clowns. Die heiligsten Heiligen waren heilige Clowns. So einer bin ich. Eros und Clown und Heiliger. Sonst niemand. Wer sich vordrängt mit Witzchen, den werf ich hinaus. Den erschieß ich, den erschieß ich, den erschieß ich. *(Schießt Kleinstschmid nochmals nach, schreit hinaus)* Komm zurück, Kleinstschmid. Du bist begnadigt. Für diesmal. *(Pause)* Es gibt keinen Grund, den Tag, seine Dinge oder gar die Menschen verstehen zu wollen. Wozu? Ich bin für dog's philosophy: If you can't eat it, fuck it. Das ist genug fürs Leben. Trinkt, trinkt! Und ihr, meine Elfen, singt, singt!

(Die Elfen singen)

KRON: Genug, genug. *(Trinkt)* Eine Sinfonie aus Optik, Elektronik, Kunststoff, Krieg und Frieden, Gebärmüttern und Seidenschals. Niemand einzelnen kann man zum Narren halten. Nur diese Welt. Die ganze. Man darf niemanden ausschließen, nur dann funktioniert es. Der Narren sind so viele, daß ein Obernarr notwendig wird. *(Alle lachen)* Oder die Zahl der Menschheit herunterdrücken. *(Lachen)* Wie? Wie, fragt ihr? In welchem Jahrhundert lebt ihr? Haben wir nicht längst alles entwickelt, das ein Ausrotten zum lächerlichen Abendvergnügen macht? Morgen abend statt Kino Ausrotten. *(Lachen)* Auch Destruktion ist Kreation. *(Lachen)*

DIE ELFEN *(singen)*: Rotten, rotten, rotten aus, wir werfen die Menschheit hinaus. Wir machen das Weltchen leer für Kron, für Kron, den Weltenbär.

KRON: Brav gesungen, Elfchen, brav gesungen. Das gefällt mir: der Weltenbär. Groß und einmalig bin ich, o Herr. Weil ich, ich bin. Saft ist im Leben. Pressen wir ihn aus. Seit Jahrhunderten, seit Urzeiten passiert den Menschen etwas. Gutes und Schlechtes. Ich halte mich an das Gute. Gott soll zählen können auf mich. Alle zweitausend Jahre braucht er einen neuen Messias, damit sich sein Reich erneuert. Und weil mir viel Gutes zustößt, so muß jemand anderer das Schlechte schlucken. Denn die Welt ist gerecht. *(Lacht, alle andern fallen in dieses Lachen ein)* Trinkt! Trinkt! Elfchen, beschäftigt euch. Und uns. Marlene, ich bringe Sie hinaus. Eine Dame wie Sie … *(Geht mit Marlene ab)*

KLEINSTSCHMID: Er redet viel. Und ist gar viel lustig.

LEBERSORGER: Ich bin gern Zuhörer. Das strengt nicht an. Und du bist ein guter Läufer.

BEINSTANGL: Laufen ist erholsam. Zuhören auch. Hebt das Glas.

HIRRACH: Wie Urlaub.

(Die Elfen pirschen sich an die vier heran, schenken ihre Gläser voll. Großes Besäufnis, Kron schießt, demütigt alle, speziell Elisa, die immer wieder serviert, schießt knapp an ihr vorbei, auf die Bilder etc., steckt allen Geld in die Taschen, wirft Geld in die Luft, alle fangen es, etc., etc.)

KRON *(stößt Kleinstschmid wieder aus, stößt ihn vor sich her)*: Du, Helfer, hilf. Trink, Helfer, trink. Iß, Helfer, iß. Lach, Helfer, lach. Vögel, Helfer, vögel. Kotz, Helfer, kotz. Sauf aus, Helfer, sauf aus. Kriech, Helfer, kriech. *(Kleinstschmid kriecht über den Boden, die andern lachen)*

HIRRACH: Was hat er getan?

KRON: Er hat mich nicht gleich erkannt. Das soll den andern und dir nicht passieren. Ich will erkannt sein. Schließlich erkenne ich auch euch.

HIRRACH: Als?

KRON: Sagte ich es nicht gerade? Als Helfer.

5. Szene

(Kleinstschmid, Lebersorger, Beinstangl und Hirrach schlafen ihren Rausch aus, in Sesseln hängend. Kron geht von einem zum andern, lüftet eine

Maske nach der andern, steckt ihnen Aktienpakete zu. Bekleckert alle dabei mit Wein, Saucen, Speiseresten, Pudding etc.)

KRON: Und der Herr schuf eine große Fleischportion. Na, guter Gefräßiger.

Und der Herr schuf ein großes Hornhautvieh. Na, guter Gieriger.

Und der Herr schuf den Nasen- und Ohrenhaaraffen. Na, guter Versoffener.

Und der Herr schuf den Tag- und Nachtzwitter. Na, guter Geiler.

Sehet auf sie: Der Herr schuf die Kollaboration von Gott und Affe.

Die Akademie der Überschätzten. Das ist die Rasse, die immer sagt, sie führt konstruktive Gespräche. Dann ist es sicher, daß nichts herauskommen wird dabei.

DIE ELFEN *(singen)*: Sie waren betrunken, haben nach Alkohol gestunken, oh, wie tief sind sie gesunken.

KRON: Jetzt stimmt es. Jedes Leben ist ein Welttheater. Vielleicht nur Affentheater. Vielleicht ist das ganze Welttheater nur ein Affentheater. Wie sagte Josef Wissarionowitsch Stalin. Man ist umgeben von Verrat, nur mit eiserner Faust wird man seiner Herr. Hundert Bilder, hundert Gäste, hundert Aktien. Pro Woche.

(Die Elfen singen leise weiter. Die Drei und Hirrach erwachen, ihre Aktienpakete schauen aus den Hemdleisten, sie nehmen sie)

DIE DREI: Aktien! Schön. Ich mag Aktien. Ein lieber Gastgeber. *(Lesen)* Aktiengesellschaft zur Belieferung des Universums mit allem Brauchbaren. Originell. Macht mit allem überall Geschäfte. Tüchtig, tüchtig. Du bist angepatzt. Schweinerei gemacht gestern. Du auch.

Du auch.

Wir alle.

(Singen) So ist das Leben. Der eine hat das Haben und das Geben, das Beste aber ist das Nehmen.

DIE ELFEN *(wiederholen singend)*: So ist das Leben. Der eine hat das Haben und das Geben, das Beste aber ist das Nehmen.

KRON *(kommt herein):* Wenn ihr keine Aktien wollt, so gebt mir Anlagen, industrielle Anlagen. Und gebt sie mir erst recht, wenn ihr wollt, daß eure Aktien steigen. Ihr tut Gutes damit.

HIRRACH: Staatsräson. Staatsräson.

DIE ELFEN *(skandieren):*

Versuch's doch mal mit Gutes tun.
Dann geht alles besser.
Aktien in richtige Kanäle lenken.
Frauchen mit Collier beschenken.
Auch an die im Abseits denken.
Und die eig'ne Gier versenken.
Gutes tun ist gar nicht schwer.

KRON: Schön. Und schön gelernt. Von mir. Gutes tun. Tut Gutes. Ihr alle und ich alle.

DIE DREI: Gutes tun. So ist das Leben. Das stärkt das Leben. *(Lachen)*

HIRRACH: Gutes für die Staatsräson, die Staatsräson.

6. Szene

(In Krons Wohnung)

HIRRACH: Ich bin spaziert.

LEBERSORGER: Spazierengehen ist eine gute Existenzform.

HIRRACH: Und eine gesunde.

LEBERSORGER: Leben kann man schlecht davon.

BEINSTANGL: Man gewöhnt sich ans Spazierengehen. Es wird Lebensprinzip. Ich fürchte, wenn eine Revolution vorbeikommt, wird sie mich nicht mehr interessieren. Ich werde weiter spazierengehen.

HIRRACH: Ja, ja, der junge Mensch versucht zu denken. Und über diesem Versuch schläft er ein, wenn er in die Jahre kommt.

BEINSTANGL: Bleibt nur das Spazierengehen. Wo ist denn der Kleinstschmid?

LEBERSORGER: Wahrscheinlich geht er spazieren.

BEINSTANGL: Es regnet.

HIRRACH: Ich seh es gern, wenn das blöde Volk naß wird.

BEINSTANGL: Es wird nicht naß. Es arbeitet jetzt.

LEBERSORGER: Arbeit, Arbeit, ja, ja, das zieht sich durch alle Jahrhunderte und alle Lager. Arbeit, Arbeit. Arbeit erzeugt nur wieder Arbeit. Niemand denkt sich was Neues aus.

HIRRACH: Das hat Geschichte. Scheußliche Geschichte, aber Geschichte. Von der Fron bis zum heiligen Stachanow.

BEINSTANGL: Kunst könnte uns retten, vielleicht. Kunst. Musik.

LEBERSORGER: Kunst? Musik? Öd. Ich hab selbst gesungen. Der Hirt auf dem Felsen. Der Hirt im Stall. Der Hirt an der Quelle. Die Quelle quillt. Springe, o Quell. Die Quelle versiegete. Hirten und Quellen. Quellen und Hirten.

BEINSTANGL: Spazierengehen.

HIRRACH: Spazieren und aus- und ableben. Mit Komfort. Wenn man dir gibt, nimm. Wenn man dir nimmt, schrei.

LEBERSORGER: Die Welt läuft so und nicht anders.

BEINSTANGL: Wehren ist sinnlos.

HIRRACH: Wehrlos ist man. In unserer geordneten Welt verliert man Namen und Gesicht, in der ungeordneten das Leben. Welcher Verlust trifft einen härter?

LEBERSORGER: Siehst du. Sinnlos. Wenn man sich doch nur wehren könnte.

BEINSTANGL: Man kann nicht.

HIRRACH: Das Ende aller Dinge ist die Fäkalie. Das tröstet.

LEBERSORGER: Böse Welt.

BEINSTANGL: Na, wenn schon. Was soll ich halten von einer Welt, auf der ich bin?

HIRRACH: Weise, weise. Böse Welt.

KLEINSTSCHMID *(kommt herein, läßt sich in einen Sessel fallen)*: Kaputt bin ich. Das Spazieren.

7. Szene

(Mutter besucht Elisa)

MUTTER: Wie steht's mit dir?

ELISA: Ich bin glücklich.

MUTTER: Glücklich? So, so.

ELISA: Ja, glücklich. Was ich hier sehe, hab ich auch zu Haus gesehen.

(Die Elfen gehen kichernd durch den Raum)

MUTTER: Wer sind die?

ELISA: Die dienstbaren Geister.

MUTTER: Vier? Vier Dienstmädchen habt ihr?

ELISA: Sie sind für alles zuständig.

MUTTER: Alles? Was heißt das: alles? *(Schaut Elisa lange an)* Und du das Oberdienstmädchen?

KRON *(kommt herein)*: Oh, Schwiegermuttchen. Hier bei Hof. Seltener Anblick. Leerer Magen? Elisa, hast du deiner Mutter nichts angeboten?

ELISA: Sie wollte nichts.

KRON: Sie will. Jetzt will sie was. Wir sind gastlich. Bei uns ißt man. Schon vergessen, Elisa? Unser Haus ist gastlich. Zu jedermann.

(Elisa zögert)

KRON: Du hast doch gehört. Zu jedermann. Du hast gehört.

(Elisa geht ab)

KRON: Was treibt dich zu uns?

MUTTER: Ist es nicht normal, seine Tochter zu besuchen?

KRON: Doch, doch, doch, doch. Sehr normal. Und mich besuchst du nicht?

MUTTER: Dir geht es ja blendend.

KRON: Und deiner Tochter nicht?

(Mutter schaut ihn nur schweigend an)

KRON: Beklagt sich deine Tochter?

MUTTER: Schlimmer. Sie ist stumm.

KRON *(lacht)*: Das Glück verschlägt einem oft die Rede.

MUTTER: Das Unglück auch.

KRON: Unglück? Unglück? Welches Unglück? Sie ist versorgt, sie hat zu essen, sie hat Arbeit, sie wird regelmäßig geölt und gewartet, es quietscht nicht zwischen ihren Beinen.

MUTTER: Und das genügt?

KRON: Die Sexualität ist die Mutter des Frauenglücks. Wie lange bist du schon Witwe?

MUTTER: Sechs Jahre. Du weißt es.

KRON: Zwischen den Beinen warst du schon vorher Witwe.

MUTTER: Ich bin gern Witwe. Ich war noch nie so frei.

KRON: Trockene oder gestochene Witwe?

MUTTER: Immer das alte Schwein.

KRON *(lacht dröhnend)*: Noch mehr Schwein. Ich werde immer mehr Schwein. *(Holt seinen Schwanz heraus)* Schönes Stück, was? Schau ihn dir an, er wird dich durchbohren. *(Geht auf Mutter zu)* Mutter und Tochter zehren vom gleichen Schwanz. Das ist Familie, das erst. Das erst ist Familie. *(Geht eindringlicher auf Mutter zu, die weicht zurück)* Bist du kein Familienmensch?

MUTTER *(lacht)*: Pack ein dein dickes Würmchen.

KRON: Würmchen? Würmchen, sagst du? Das Würmchen wird dich durchdringen, aufspießen, vielleicht gar umwinden wie eine Boa constrictor. *(Geht auf die Mutter zu, sie läuft davon)*

KRON: Flucht hilft auch nicht. Nicht auf Dauer. *(Schaut auf seinen Schwanz)* Sie mag dich nicht. Was ist los? Vor dir ist noch keine davongerannt. Das ist dir noch nicht passiert. Und jetzt das. Bist du nicht mehr so schön wie früher? Nicht mehr attraktiv? *(Streichelt seinen Schwanz)* Doch, doch, du bist noch immer ein ansehnliches Instrument. In bestem Zustand. Wir müssen traurig sein. Oder beleidigt. Wir verzeihen keine Zurücksetzung. Wir haben so eine Zurücksetzung nicht verdient. Schließlich haben wir schon was geleistet in unserem Dasein. Wir haben Vergnügen in die Welt getragen, wir sind der Wollust beigekommen und wir haben gezeugt im Namen der Gebote Gottes. So eine Zurücksetzung verletzt uns, gell, mein Großer? Aber verzweifle nicht, wir werden uns gleich schadlos halten. Ist's nicht die, so ist's eine andere. Tätig werden wir sein, so oder so. Gegen uns ist kein Kraut gewachsen. Vor uns flüchtet man nicht.

ELISA *(kommt mit einem Tablett herein)*: Wo ist Mutter?

KRON *(verstaut seinen Schwanz)*: Schon gegangen. Sie hatte es eilig, plötzlich. *(Lacht)* Die guten Stücke der Wohnung haben sie verschreckt.

(Elisa nickt nur, stellt das Tablett ab, geht hinaus)

KRON: Empfindsam, empfindsam. *(Schreit ihr nach)* Wasch dich. Und komm gleich zurück. Wenn nicht Muttern, dann halt Tochtern.

Du sollst nicht klagen müssen. *(Knöpft seine Hose auf)* Im Schweiße deines Angesichts sollst du dein Brot verdienen. *(Zu sich)* Mit der ganzen Welt sollte man per du sein. Nur mit seiner Frau nicht. Das Sie in der Ehe würde Distanz schaffen. Die ist notwendig. Sie, Frau. Sie, Weib. Oder doch zumindest das Weib soll Sie sagen. *(Schreit nach draußen)* Wo bleibst du?

8. Szene

(Kron und Elisa im Bett)

KRON: Es kommt kein Glück auf Erden dem gleich, welches ein schöner und fruchtbarer Geist zur glücklichen Stunde in sich selbst findet. In Reinheit zu uns selbst kommen, Elisa, das sei unser Weg.

ELISA: Ich will mit dem gehen, den ich liebe. Ich will nicht ausrechnen, was es kostet. Ich will nicht nachdenken, ob es gut ist. Ich will nicht wissen, ob er mich liebt. Ich will mit ihm gehen, den ich liebe.

KRON: Brecht, ich weiß. Gut gelernt, Elisa. Nicht vergessen. Immer schön aufsagen. Du bist ein gutes Kind. Gute Frau. Du hast gelernt hinzunehmen. Höheres kann der Mensch nicht lernen. Keine meine Hurereien stört dich mehr, kein Ausschweifen. Keine Elfe. Du lebst mit ihnen. Sie sind Teil deiner selbst. Du trägst. Du bist eine Heilige. Höchstes Wesen. Stille Duldsamkeit. Heilige Duldsame. Anbetungswürdig. Und jetzt hol mir Wein.

(Elisa springt aus dem Bett, holt eine Karaffe Wein)

KRON: Gut, gut. Wenn du von einer Brücke runterfällst, mußt du lächeln. Und du mußt lächelnd sterben, wenn dich einer erschießt. Du mußt lächelnd sterben. Gelassen lächeln. Nie dem andern einen Triumph gönnen. Nie. Auch nicht dem Tod selbst. Die Gefahr suchen, um sie dann zu überlisten. Machen wir uns eine tolle Nacht heute, und dann machen wir einen tollen Urlaub. Sechs Wochen. Du gehst über Wiesen, wo das Grün dich mild umfängt. Rosentage. Und dann lassen wir uns scheiden.

ELISA: Scheiden?

KRON: Was überrascht dich? Du wirst eine Verpflichtung. Kann ich nicht brauchen. Hast du womöglich gedacht, wir könnten zusammen alt werden? O Gott. Hab ich dir nicht gesagt, daß jedes neue Jahr eine neue Frau verlangt? Schätz dich glücklich, wir waren ein ganzes Jahr glücklich. Und du darfst in meiner Umgebung bleiben. Herrlich, was?

ELISA: Ja, herrlich.

KRON: Es muß herrlich sein. Du hast keine Wahl. Mit deinen eigenen Finanzen kannst du nicht einmal die Miete für eine Woche zahlen. Du bleibst. Es wird dir an nichts mangeln. Vorausgesetzt, du bist ruhig und folgsam. Der Mann verlangt, die Frau vergibt. Alten Gesetzen ist zu gehorchen. Trink. Es ist teurer Wein, alt und edel. Und vergiß nicht: Frauen sollen nur Sätze sprechen, auf die man mit Amen antworten kann.

(»Zueignung« von Richard Strauss, gesungen von einer Schmalzsängerin)

9. Szene

(Kron, Hirrach und Die Drei begegnen sich)

KRON *(im Vorbeigehen, ohne stehenzubleiben)*: Für eure Reputation wäre es gut, sich ein paar Arme zu halten. Wohltäter haben einen Heiligenschein und werden nicht verdächtigt. Mitgefühl kostet nichts, ist aber sehr dienlich. Liebe deinen Allerfernsten wie dich selbst. Keine Angst, am Weg dorthin verliert sich alles. *(Läuft weiter)* Denkt daran.

10. Szene

MARLENE: Er ist ein netter Mensch. Tu ihm was Gutes.

HIRRACH: Hat er dir Gutes getan?

MARLENE: Ein wertvoller Mensch. Und belesen. Er redet so schön.

HIRRACH: Hat er Gutes getan?

MARLENE: Eine Seele von einem Menschen. Er verdient deine Fürsprache.

HIRRACH: Hat er dir Gutes getan?

MARLENE: Und er steht im Leben mit beiden Beinen. Tatmenschen muß man unterstützen.

HIRRACH: Wie tätig war er bei dir?

MARLENE: Schwein.

HIRRACH: Das ist keine Antwort. Hat er dir Gutes getan? Wie tätig war er bei dir?

MARLENE: Dein Kopf ist immer voll Verdächtigungen, dein Leben lang.

HIRRACH: Und kaum jemals waren sie unbegründet.

MARLENE: Und bist du dann glücklicher?

HIRRACH: Ich will nicht glücklich sein. Glück ist der Wunsch der Kleinen. Ich will wissen.

MARLENE: Blöd.

HIRRACH: Ja, blöd.

MARLENE: Gut, dann will auch ich wissen.

HIRRACH: Was?

MARLENE: Dasselbe.

HIRRACH: Dasselbe?

MARLENE: Ja, dasselbe. Über eure Zusammenkünfte. Kollegen, Elfen, du weißt schon.

HIRRACH: Ich muß fort.

MARLENE: Du schaust gehetzt aus.

HIRRACH: Gehetzt? Von wem? Wer soll mich hetzen?

MARLENE: Das frag ich dich.

HIRRACH: Das antworte ich nicht.

MARLENE: Du schaust gehetzt aus. Das seh ich auch ohne Antwort. Du schaust gehetzt aus. Oder vielleicht nur blöd, es kommt aufs selbe.

HIRRACH: Ich muß fort.

MARLENE: Du mußt fort. Ich weiß. Es ist wichtig. Ich weiß. Geh.

HIRRACH: Wir zwei. Immer mehr wird klar: wir leben nicht zusammen, wir leben nur unsere Stunden ab.

MARLENE *(lacht)*: Ach, du Klugscheißerchen, mein Philosophilein. Geh. Du mußt fort. Geh.

HIRRACH: Und du?

MARLENE: Ich auch. Ich geh auch. Muß fort. Ich auch.

HIRRACH: Und wohin gehst du?

MARLENE: Was Wichtiges. Auch. Ich auch. Ich hab auch was Wichtiges. Geh. Geh. Und tu dein Wichtiges.

11. Szene

(Die Drei sitzen, trinken, essen, sind laut, bekleckern alles)

DIE SENFMILCH *(kommt eilig herein)*: Benehmen Sie sich nicht wie Schweine.

LEBERSORGER *(lacht)*: Ich benehme mich nicht so. Ich bin eines. Schwein, Schwein, Schwein. *(Greift der Senfmilch an die Brüste)* Du sei auch Schwein. Richtig Schwein.

DIE SENFMILCH *(schlägt ihm auf die Finger)*: Schwein. Los, Schwein.

LEBERSORGER: Schlappertitte.

BEINSTANGL: Hau ihn ihr rein. Das mag sie.

DIE SENFMILCH: Ich hau ihn wieder raus.

BEINSTANGL: Aha, das mag sie nicht. *(Lacht)*

DIE SENFMILCH: Meine Position hab ich, weil ich nie mit jemandem schlafe oder geschlafen habe. Als einzige hier rundum.

KLEINSTSCHMID: Respekt, Respekt.

KRON *(kommt schnell herein, nimmt die Senfmilch zur Seite)*: Was ist? Unstimmigkeiten? Hier? Weswegen? Wegen Titten?

DIE SENFMILCH: Wegen Schweinen.

KRON: Hier ist Freiraum, Senfmilchin. Andere Gesetze. Die Gesetze der Freiheit, der unbeschränkten Freiheit.

DIE SENFMILCH: Sie benehmen sich wie die Schweine.

KRON: Genau das sollen sie.

12. Szene

DIE DREI *(stürmen herein)*: Unsere Aktien. Weg mit unseren Aktien. Du.

KRON: Ja, ich. Ich. Was ist mit mir?

DIE DREI: Du hast dich ins Verbrechen gesetzt.

KRON: Ich? Ihr! Wenn ihr schon unbedingt von Verbrechen reden müßt, wo ich nur von Geschäft rede.

DIE DREI: Geschäft?

KRON: Ja, Geschäft. Und ihr alle habt gewußt davon.

DIE DREI: Gewußt?

KRON: Nicht nur gewußt, bestätigt habt ihr mir sogar.

DIE DREI: Bestätigt?

KRON: Bestätigt. *(Zieht Papiere aus der Tasche)* Bestätigt. Hier. Schaut also, daß alles läuft. Ihr seid Aktionäre. Beschafft die Papiere, die bestätigen, daß ein normales Exportgeschäft abgewickelt wurde. Ruft die Botschaft an, sie soll bestätigen. Das ist nur ein Brief.

DIE DREI: Das geht nicht.

KRON: Geht nicht? Warum? Das ist doch nur ein Brief. Ein Brief geht nicht? Wozu verwöhn ich euch, wenn dann nicht einmal ein Brief …

DIE DREI: Das geht nicht.

KRON: Bemüht euch. Ihr profitiert davon.

DIE DREI: Ich will nichts profitieren davon.

KRON: Ihr habt schon. Beim Verkauf habt ihr. Nicht gut für euch. Obwohl ich schweige. Und eure Frauen wissen natürlich bestimmt von euren Ausflügen in meine Betten.

DIE DREI: Ich bemüh mich.

KRON: Brav. Mitgehangen, mitgefangen, das ist kein plumpes deutsches Haushaltssprichwort, das ist ein ehernes Prinzip. Sowohl als auch. Kein Entweder-Oder. Und jetzt beschafft die Papiere, die ich brauche. Und haltet das Maul. Sonst fallt ihr drauf. *(Schreit plötzlich)* Ich hasse es, wenn sich Wissende, Wissende und Nehmende, plötzlich unwissend stellen. Verschwindet, ihr Wisser und Nehmer, und tut, was notwendig ist.

(Die Drei ab)

KRON *(ruft ihnen nach)*: Ich mag Realisten. Von Idealisten bekommt man immer das Falsche. Von Realisten Geld und Unterlagen. Das strebt nicht nach Sinn, das hat ihn.

13. Szene

DIE DREI: Wir sitzen hier.
Wir sitzen gern hier.
Wir sitzen oft hier.

HIRRACH: Wir sitzen nur hier.

DIE DREI: Weil er nett ist.
Er will nur kleine Gefälligkeiten.
Er ist mit Dingen zufriedenzustellen, die wir leicht tun können.
Er verlangt nichts Unmögliches.

HIRRACH: Hin und wieder schreib ich ein Briefchen. Ich schreib ein Briefchen, daß ich ein Briefchen brauch. Das läßt sich machen.

DIE DREI: Ich geb ihm Bestätigungen, die nichts bestätigen.
Das darf ein jeder.
Und ob.
Ungeschaut.
Völlig unverfänglich.
Menschenfreundlich.

HIRRACH: Ich räume alte Lager aus. Keine Sorge mehr um die Entsorgung.

DIE DREI: Ich vermittle ihm unrentable Industrieanlagen. Ich müßte belobigt werden dafür. Ein Staatsheld. Ich. Ich spare durch Geben.
Wir tun, was gut ist.
Wir tun, was recht ist.
Wir tun, was nützt.
Wir wissen nicht, was er tut mit unseren Gaben.
Ich weiß nichts. Ich will nichts wissen. Wissen gehört nicht zu meinem Wollen. Wissen ist lastig. Für Wissen ist kein Platz in

mir. Informiertheit genügt mir. Leichte, zarte Informiertheit, nicht plumpes, schweres Wissen.

HIRRACH: Wir müssen nicht wissen.

DIE DREI: Wir tun nur.
Wir sind nur besessen Tätige.
Wir sollen nicht wissen, nur tun.
Der Tätige ist in Gottes Hand.
Dort ist sein Platz.
Der Tätige hat Jesu Schutzhand über sich.
Er ist geborgen rund und um.
Freundschaft ist Freundschaft.

HIRRACH: Ein Freund fragt nicht.

DIE DREI: Wir geben, er hat, und er gibt uns Aktien des gehabt Gegebenen.
Alles klar.
Alles logisch.
Alles transparent.
Alles rein.
Er bietet viel dafür.

HIRRACH: Bescheiden sein in den Erträgnissen.

DIE DREI: Doch konstant.
Hartnäckig.
Unbeugsam.
Eisern und ehern.

HIRRACH: Ich unterhalte mich exklusiv. Verschwiegen.

DIE DREI: Feiern wir.
Uns und ihn.
Bei Tag und Nebel.
Bei Nacht und Sonnenschein.
Feiern wir!
Ja! Ja! Ja!

14. Szene

(Elisa hängt mitten im Raum vom Luster)

KRON: Gute Dekoration. Ihr Entwurf? Ihre Idee?

DIE SENFMILCH: Mehr Ihr Produkt.

KRON: Egal. Genial ist es. Hauptsache, es ist genial. Elisa, ein Engel wahrhaftig, opfert sich für eine Dekoration.

DIE SENFMILCH: Schwierigkeiten?

KRON: Keine Spur. Die Welt liebt und ehrt den Täter, nicht das Opfer. Das Opfer wird zum Trottel, kein Mitleid ist ihm gewiß. Längst ist man des Opferbildes überdrüssig. Man kennt die Folterung. Was soll sie einem noch? Hängt sie ab. Genug Dekoration gewesen, liebe Elisa. Rein ins Grab. Hängt sie ab. *(Auf einen Fingerzeig der Senfmilch bringen die Elfen eine Leiter, nehmen Elisa ab)* Sonst reißt noch der Luster ab. Nimm sie, Herr, zu dir. Zu dir, Herr, der uns erschaffen hat, der uns erhalten hat, der uns erleben läßt diese Zeit. Amen.

DIE SENFMILCH: Doppelamen.

KRON: Und noch drei drauf. Amen. Amen. Amen. Mit Schluß und Jubel.

DIE SENFMILCH *(lacht)*: Hängt sich hier auf statt im Wald. Zum Schießen.

KRON: Sie wollte in meiner Nähe sein. Treue Seele.

DIE SENFMILCH *(lacht wieder)*: Ja, Seele. Seele.

KRON: Zwei Leben soll man leben täglich, dann erst macht sich das Sterben bezahlt. Dann erst ist es ein Spannung-ruhen-Lassen. Ist da jemand, der weiß, wie ich sterben werde. Ich möchte ihn nicht fragen, ich möchte ihn nur sehen. In seiner Tobsucht. Und damit ich meine eigene Tobsucht entgegenstellen kann. Wir müssen alles zurücklassen. Als ob wir nie dagewesen wären. Ich habe Launen und Zustände. Denn auch Prinzipien kommen der Idiotie des Todes nicht bei. Das Leben ist berserkerhaft und krankhaft tätig, sich am Leben zu erhalten. Als ob das Leben es nicht schon besser wissen könnte. Genießen! Jeder Baum wird älter als ich. Bäume geben Schatten. Aber es ist kein Mensch mehr da, darin zu sitzen. Ausrotten nur verbessert die

Welt, verbessert radikal. Die Menschheit abziehen von der Erde. Massenselbstmord? Courage! Courage! Courage! Die wahre Gesinnung der Häßlichkeit zeigt sich uns, nie die Schönheit. Schönheit blendet, täuscht, Häßlichkeit ist wahr. Courage! Courage! Ausmerzen, wegrennen, wegbrennen von diesem Planeten. Wir, die Götter, die Halbgötter und die Strichbuben, wir wollen den Zugang zum Paradies jetzt. Jetzt! Wer sagt da, wir sind keine Poseure? *(Springt auf den Kasten, über den Tisch, schwingt sich am Luster durch den Raum, etc.)* Krieg, es ist Krieg. Krieg zwischen Tod und Leben. Wir müssen stark und wachsam sein. Das Universum ist nicht anständig. Keine einzige Abmachung hält es ein. Die Tragödie des Göttlichen ist seine Unzuverlässigkeit im Guten. Genuß! Einen Dämon beschwören, damit der Tod laufunfähig und zeugungsunfähig wird. Der Percht, der Klaubauf, Wotan, Odin, Artus, alle rennen an. Frische nackte Gräber und frische nackte Leiber öffnen sich. Eine Kollision der Natur mit sich selbst. Vom Phänomen zum Phantom und wieder zurück, das sei mein Weg. Der Ölberg hat gesprochen. Sie war meine russische Braut. Elisa! Wie sagte der selige Herr Josef Wissarionowitsch Dschugaschwili, recte Stalin? Man ist umgeben von Verrat, nur mit eiserner Faust wird man seiner Herr. Die Russen sind schwermütig. Oder besoffen. Das eine wie das andere macht sie sympathisch. Wie Sergej, mein Bruder Sergej, Blutsbruder Sergej, Sergej und ich, zwei Ich. Pfeif auf Josef und fick dich gesund. Nur im Chaos des Endes kommt der Mensch an seine Grenzen. Elisa, du hast Grenzen überschritten! Mit dem Mut des Trampels. Elisa, du Heldin! Ich bin das Zentrum meiner Welt, ich bin das Zentrum jeder Welt. Und doch ist es mir wichtig, daß mir vieles unbekannt und fern bleibt. Um Meister des Lebens zu sein, müssen wir sein Ende selbst bestimmen. Die Menschen werden schön und rein, wenn sie sich auf das Ende vorbereiten. Elisa! Schön und rein! Elisa! Ich will keine Zeichen erkennen, ich will selbst welche setzen. Jeden Tag sehe ich Menschen, die sich gerade verrückt machen. Weil sie Zeichen nicht sehen. Kopf zurechtrücken. Den Erschießungsurlaub muß man propagieren. In China, lang lebe die Todesstrafe, kann man einen zum Tod Verurteilten erschießen. Flug, Hotel, Vollpension, Genickschuß, alles inbegriffen. Urlaub nach Maß. Ich fange die Ratten von Ost und West. Ich fange die Ratten an Land und auf See. Ratten, alles Ratten, ich fange sie mir. Ich brauche diesen Staat. Und ich brauche seine Nähe. Je näher, desto klarer seine Ebenmäßigkeit. Der Staatsmännerbund trägt fort und fort und weiter. Leidenschaftliche, blutvolle Menschen sollen Staaten leiten. *(Beißt in ein Steak)* Vegetarier sollen nicht Staatschefs werden. *(Rennt mit dem Kopf gegen die Wand)* Ich bin härter, ich bin härter. Härter als alle und alles. *(Rennt und rennt immer wieder gegen die Wand, blutet)* Sieger. Ich bin Sieger. Ich bin Sieger. Sieger. Ich gewinne. Ich gewinne jeden Krieg. Jeden. Sieger. Elisa! Elisa! Sieger! Wer korrekt spielt, verliert. Vor Veränderungen, die sich nicht halten können, sei gewarnt. Was man mich alles fragt.

DIE SENFMILCH: Ich frage nicht.

KRON: Was man mich alles fragt. Wie ich die Welt sehe. Ob Gott ein Rohling ist, oder nur verrückt. Ob Kriege Ausdruck von Übermut sind oder von Volksgemüt. Ich weiß das nicht. Ich stehe mitten drin in diesen Fragen, ohne Distanz. Denn ich bin selbst Gottes Plan. Man fragt mich, ich sage den Weg. Und wenn man mich nicht fragt, geh ich ihn selbst. Das ist's! Elisa! Ich habe mich von dir getrennt. Abgenabelt, abgestoßen. Nicht du von mir. Ich bin mein Herr, auferstanden. Der Ölberg spricht. Ein faustisches Rindvieh, Wein predigen und Wein trinken. Den Anstandsgebundenen, den Anstandshörigen ist nicht zu helfen. Dieses Hin- und Hergerede interessiert mich nicht. Klar sei dein Wort und auf Zweck eingeschworen. Übertreiben ist schändlich. Aber Untertreiben ist fahrlässiger Umgang mit der eigenen Person. Das will ich mir nicht vorwerfen müssen. Die Welt möchte ich, oder doch, für den Anfang, Liechtenstein. *(Lacht lange und schallend)* Könnten Sie sich, Senfmilch, könnten Sie sich erkundigen, ob es zum Verkauf frei ist. Könnte ja sein, daß ein Fürst etwas Geld braucht und sein bißchen Land verscherbeln will. Elisa! Ein Mausoleum bau ich dir dort. In der Würde dicker Haut sollst du stecken. Und damit auch ich.

(Lacht wieder) Denn siehe, Elisa, weißt du noch, was wir lernten dereinst in dummen Schultagen: Wenn du glaubst, es geht nicht mehr, kommt von irgendwo ein Lichtlein her. *(Lacht immer wilder)* Ein Lichtlein kommt von wo, ein Lichtlein. Ja, ja, mein Katechet. Kranke und Tote legen einem zu viele Beschwernisse auf. Tote sind isoliert, Kranke sind unter uns. Alles macht man einhundertzweiundsechzig Mal im Leben. Bis man es kann. Dann stirbt man. Nur Orgasmen darf man mehr haben.

DIE SENFMILCH: Meine kann ich an einer Hand abzählen.

KRON: Ziehen Sie sich was anderes an. Was Schwarzes. Trauerkleidung.

DIE SENFMILCH: Nein. Ich nicht.

KRON: Sie nicht?

DIE SENFMILCH: Nein. Kein Grund für mich.

KRON: Gut. Eigentlich gut. Gut und richtig. Gibt es eine Trauerspeise? Gibt es so etwas, eine Trauerspeise?

DIE SENFMILCH: Bei uns ißt man Milchreis, wenn jemand gestorben ist.

KRON: Milchreis? Pah! Hoffentlich sterben nicht zu viele in nächster Zeit. Milchreis! Sonst gibt es nichts als Trauerspeise?

DIE SENFMILCH: Nicht bei uns.

KRON: Bei Ihnen ist nicht die Welt. Und sonstwo?

DIE SENFMILCH: Dort kenn ich mich nicht aus.

KRON: Dann werde ich so lange suchen, bis ich eine Trauerspeise finde, die mir schmeckt. In Neuguinea schlachten sie ein Schwein, wenn jemand stirbt.

DIE SENFMILCH: Dann essen Sie eben Schweinernes.

KRON: Schweinernes! Elisa! Ich werde Schweinernes essen. Dir zur Ehre, Elisa. *(Rennt wieder gegen die Wand)* Sieger, ich ein Sieger. Ich, der Sieger. Sieger ohne Werk. Denn jetzt, am Ende des Jahrhunderts, zeigt sich: Wir sind nicht unglücklich genug für ein großes Werk. Man denkt nicht an Folgen, sondern wundert sich über Ursachen. Ich suche keine Absurditäten. Der Tag ist absurd genug. Große Männer sind leichtsinnig. Drum sind so viele Frauen schwanger von ihnen. Alles, was aus meinem Kopf kommt, stört mich. *(Rennt und rennt wieder gegen die Wand, zer-*

trümmert allerlei Gegenstände) Auch meine Ideen, auch meine Gedanken. Halten Sie mich ab, Senfmilch. Halten Sie mich davon ab, alles zu zertrümmern. Halten Sie mich ab davon.

DIE SENFMILCH: Nein. Zertrümmern Sie. Sie wollen sich etwas tun, also zertrümmern sie.

KRON: Alle Welt gehorcht mir. Warum gehorchen Sie nicht?

DIE SENFMILCH: Ich bin nicht da dafür. Speichelschlucker haben Sie genug.

KRON: Recht so. Sie haben mir zu oft recht. Sie sollten mehr unrecht haben.

DIE SENFMILCH: Ich habe nicht recht, ich habe nicht unrecht. Ich weiß nur um meinen Platz.

KRON: Sie haben unrecht, endlich, gottlob. Wer sich Sorgen macht, macht sich keine Gedanken. Er denkt nicht. Er grübelt nur. Keine Linie. Fort mit Sorge! Nichts persönlich. Persönlich soll man gar nichts erledigen. Alles per Fernteilnahme, Fernbefehl, Fernersuchen, Ferngespräch, fern, fern, jedenfalls fern. Elisa! Schau in den Himmel. Dort siehst du alle meine Sterne aufgehen. Konferenzen, Gespräche, Person zu Person, Mensch zu Mensch, das ist widerlich. Jeder sitzt da mit seinem verschwitzten Gesicht, weiß die Handknöchel vom gekrampften Pressen der Händchen, blödes Grinsen, Erwartung, Hoffnung, Unsicherheit, Mineralwasser, Kaffee. Alles dummes Zeug, aber ich kann mit solchen Leutchen umgehen. Ungern, aber ich kann. Frühstück, Leben, Tag, Auslassen. Und gut geschissen, so geschissen, so kann's kein König. Das ist Leben, Kleinleben, aber Leben. *(Lacht schallend)* Aber Sie, Senfmilch, Sie mit Ihrer Genußverachtung, ich bin überzeugt, Sie scheißen nicht einmal gut.

DIE SENFMILCH: Meine Verdauung ist nicht meine größte Klage. Sie klappt.

KRON: Sie klappt. Bei Ihnen klappt immer alles. Aber es klappt nichts über.

DIE SENFMILCH: Mein Naturell hält sich in Maßen. Und darum brauchen Sie mich.

KRON: Jeder ist größenwahnsinnig, wenn er mit sich allein ist. Ich liebe gute Hasser. Am besten hasse ich mich. Ich, Absolvent der

Akademie der Überschätzten, ich lebe mich hin, langsam, zur Akademie der Unterschätzten. Und von diesem Loch aus ... Die Welt soll salutieren vor mir, vor mir, dem Unterschätzten. Nullen, die betrügen, werden liquidiert. *(Lacht, schießt Löcher in die Wand, tobt)* Hier, am Ende der Welt, ist gut leben. Jeder Platz ist das Ende der Welt. Menschen ohne Geld sind häßliche Menschen. Die Menschen werden schön, wenn sie reich werden. Und dann werden sie alt. Ist ja blödsinnig, so alt zu werden. Diese lange Todesfurcht. Daher immer wieder die Lust sich umzubringen, obwohl so vieles noch nicht getan ist. Man soll immer bereit sein, sich umzubringen. Soll man das nicht? Soll man das nicht, Senfmilch, antworten Sie, soll man das nicht?

DIE SENFMILCH: Ich greife nichts und niemandem vor. Es sei, wie es komme.

KRON: Ihr Fatalismus, Ihre Gottergebenheit lassen nichts zu. Die Größe und Allmacht des Todes sehen, ihn als pathetischen Souverän anerkennen. Jederzeit. Ich teile nicht und nichts ein. Was soll man auch einteilen bei dem bißchen Leben. Es sind schon Leute gestorben, die hatten noch ganze Sinfonien im Kopf, ganze Industrieanlagen, ja ganze Kriege. Musik habe ich keine im Kopf, aber Flugzeuge habe ich, Panzer habe ich, einem Krieg steht nichts im Weg. *(Lacht, tobt dann plötzlich wieder)* Das Nachleuchten eines gelebten Lebens. Im Erddenken. Im Jahrhundertdenken. Alle Autoritäten hat dieses Jahrhundert weggeschleudert, zerstäubt. Ein gutes Jahrhundert. Liebe Herren und Schweine! Liebe Freunde und Schweine! Lieber Herr, lieber Freund und liebes Schwein! Du bist gefallen. Ich bin gegen Friedensschlüsse. Sie schläfern Wildheiten ein. Das kann nicht Ziel der Welt sein. Es kann nicht ihr Ziel sein, Ställe gutmütig schauender, kauender Menschen zu betreuen. Sagen Sie was, Senfmilch, sagen Sie was dazu, reden Sie!

DIE SENFMILCH: Ich sage nichts. Nie. Ich höre zu.

KRON: Ich sage nichts. Nie. Ich höre zu. *(Lacht)* Sie Hinnehmerin. Wilde Berserker sieht sie gern, diese Welt. Drum gibt es noch immer so viele von ihnen. Noch. Aber wir sind dabei, einzuschlafen. Tödlich wegzuschlafen. Weil wir die Autorität weggeschafft haben. Wer nicht auffällt, fällt durch! Krieg! Krieg, Elisa! Was wohl aus den vielen jung Gefallenen geworden wäre. Vielleicht war ein Mozart darunter, oder ist ein Shakespeare gefallen mit achtzehn? Nein, nehme ich an. *(Schießt wieder um sich, auf Bilder, auf Gläser etc.)* Der Ölberg hat Christus, Hitler und Herzl hervorgebracht. Senfmilch, bringen Sie die vier Kretins her.

DIE SENFMILCH: Sie sind bestellt für abends.

KRON: Die sollen bei Neumond Scheiße fressen, wenn sie nicht parieren. Von den Volksmetastasen lasse ich sie auffressen. Der Volkskrebs, der Volksinfarkt komme über sie. Und der Volkskomiker, die ärgste Strafe. Ein österreichischer Volkskomiker. Das viele Grüßen bringt nichts. Höflichkeit ist ein Laster. Wir werden nicht mehr grüßen, Senfmilch. Der Selbstzerstörer ist eine arme Selbstsau, die keine Probe besteht und gerade deshalb sich immer neue auferlegt. Den brauche ich. Das Universum vielleicht verbündet sich mit dem Träumer, nicht aber die Bank von nebenan. Ich will erst die Bank. Und dann das Universum. *(Tobt wieder, schießt)* Zu unserem Leben gehört auch die Liquidation. Senfmilch, sagen Sie was!

DIE SENFMILCH: Was?

KRON: Was Sie davon halten.

DIE SENFMILCH: Fragen Sie das nicht mich. Ich antworte nicht. Ich höre.

KRON: Wer hat sich in den Kopf gesetzt, daß es abscheulich ist, ein Dieb zu sein. Auch Rockefeller hatte kriminelle Gene. Für die Wissenschaft ist der Mensch nichts als aktivierter Schleim. Spukken wir drauf! Schön ist der Mensch in seiner Angst! Elisa, Angstlose! Engel im Himmel! Alles lebt von Ware. Spitäler von kranker, blutiger, eitriger, geschwüriger Ware. Ich von handfester Ware. Eine Diktatur hat eine Tür, leicht zu verhandeln dort, eine Demokratie hat viele Türen, man braucht viele Türöffner für seine Ware. Sagen Sie was, Senfmilch, sagen Sie was!

DIE SENFMILCH: Da ist nichts zu sagen. Sie wissen ja alles.

KRON: Sie denken, der Hirte ist bei seiner Herde geblieben. Er hat seine Herde nur ausgetauscht. Wird an seine Herde geklebt bleiben. Denken Sie das?

DIE SENFMILCH: Denken?

KRON: Falsch. Ich brauche keine Herde. Und ich brauche keine Freunde. Nur Helfer. Die winseln um Bedeutung. Die Herren flehen um Bedeutung. Können? Können? Wissen? Freundschaft, nur Freundschaft, Männerfreundschaft. Ich will wieder heiraten. Die Liebe wird mich einschläfern. Mein Junggesellenapparat, selig sei Elisa, soll wieder Vaterapparat werden. Mein Bubenwerk muß Mannwerk werden. *(Grübelt einen Moment vor sich hin)* Bibliothekar ist auch schön. Bibliothekar. Aber was fürs Alter. Groß bin ich und gültig, noch jetzt, jetzt noch. Groß und gültig. Du mußt selbst. Die Welt hat nur blöde und fromme Wünsche für dich. Du mußt selbst, mußt selbst tun. Und den anderen wünschen. Nicht grüßen. Wünschen. Das Land ist schon alt. *(Schießt wieder um sich)* Man kann es schließen. Nach mir. Wenn auch ich es nicht erneuern kann, dann schließen. Eine schöne Leiche noch, und aus. Ich jage, bis alle Beute erlegt ist. *(Packt die Senfmilch am Arm, läuft mit ihr wild durchs Zimmer)* Wir zwei, wir zwei, wir rennen, wir jagen, bis wir unsere Beute erlegt haben.

DIE SENFMILCH *(reißt sich los)*: Ich renne nicht, ich jage nicht.

KRON: Selbst anpacken. Du mußt selbst. Sollen die anderen zufrieden sein mit Wünschen, nicht ich. Ich will das Resultat, das selbst gewählte, das selbst genommene, das selbst durchgebrachte, das selbst erzwungene, meinetwegen. Brachial erzwungen, aber mein. Schau in den Himmel, Elisa, heilige Elisa, schau in den Himmel, jetzt, jetzt wirst du meine, unsere Sterne aufgehen sehen.

DIE SENFMILCH: Die Bratwurst ist fertig.

KRON: Die Bratwurst ist fertig, die Bratwurst ist fertig. Dazu ein Bier. Der Percht schlägt zu.

15. Szene

DIE DREI: Er greift immer mehr nach uns.
Er legt uns aufs Kreuz.

Er stiehlt unsere Seelen, unsere Ehrsamkeit.
Und unsere Staatshingabe an das Ideal.
Er sticht uns aus.
Er legt uns quer.
Er stellt uns auf den Kopf.
Er zieht uns noch den Rotz aus der Nase.
Das Gold aus den Zähnen.
Wir laufen in seinen Hinterhalt.
Wir sind zuviel in seinem Haushalt.
Wir schlagen uns die Köpfe blau und blutig.
Bei Tag und Nebel. Wir wachen auf.
Wir entschläfern uns spät.

HIRRACH: Weil wir die Sprache der Entschlossenen haben und die Taten der Zauderer. Er ist das genaue Gegenteil.

DIE DREI: Er ist nicht das Gegenteil. Wir haben ihn nur dazu gemacht. Wir, wir selbst.

HIRRACH: Ich bin Baron, Offizier, Ehemann einer jungen Frau, ich brauch Geld.

DIE DREI: Guter Grund. Kein Zweifel.
Versteht man.
Klar gesagt.
Du parierst sehr gut.

HIRRACH: Das ist Offizierstugend.

DIE DREI: Berufstugend ist edles Menschengut.
Unzerstörbares Gut.
Und gutmütiges Gut.
Das ist Tradition mit Pfiff.
Der Pfiff der Jahrtausende.
Keine Widerrede.

HIRRACH: Man ist nur so lang etwas, so lang man nichts ist.

DIE DREI: Was?

HIRRACH: Ich wiederhole: Man ist nur so lang nichts, so lang man nicht etwas hat.

DIE DREI: Die Notwendigkeit ist mit uns.
Die Notwendigkeit zwingt uns.
Der Zwang der Existenz.

Sie erhalten zu können.
Sie betreiben zu können.
Sie bemalen, bedichten, bemusizieren ist zu wenig.
Bemalung, Bedichtung, Bemusizierung, du sagst es, ist außer uns.
Die Schulen der Bemalung, der Bedichtung und der Bemusizierung liegen hinter uns.
Sie lassen es zu, daß man sich ums Leben drückt.
Die Existenz ist Qual durch Erhaltung.
Sie muß notorisch am Leben erhalten werden.

HIRRACH: Sie läßt sich formen.

DIE DREI: Das kostet Geld.
Nur Geld.
Das nimmt ein wenig Würde bisweilen.
Das muß in den Lebenskauf genommen werden.
Unabänderlich.

HIRRACH: Das weiß er.

DIE DREI: Das weiß er über uns.
Wir haben es gesagt.
Wir haben genommen.
Wir haben uns nicht gewehrt.
Freunde, erwacht.

HIRRACH: Der Schlaf ist wohltätiger.

DIE DREI: Wenn wir ihm weiter in den Fleischwolf gehen, macht er uns zu Brei.
Appetitlich.
Tiefgefroren.
Er frißt uns und scheißt uns dann.
Wir müssen dagegen sein.
Unsere Häute retten.
Eingesprungene Pirouetten tanzen, bis er schwindlig wird.

HIRRACH: Wir sind zu müde.

DIE DREI: Wir sind zu Tode müde.
Wir sind zu sehr gepäppelt.
Ja! Ja! Ja!
In die Schwindligkeit getrieben.
Von der Existenz.

Nicht von der, von unserer Existenz.
Sie hat Volumen.
Und braucht mehr.
Sie sucht es überall.
Sie jubelt überall darüber.
Sie läßt sich fallen, um zu ruhen.
Nicht, weil sie besiegt ist.

HIRRACH: Gott bewahre! Bewahre Gott!

DIE DREI: Wir müssen Gott fragen.
Ja! Ja! Ja!
Wer fragt ihn? Du? Du? Du?
Du?
Aber…
Feig ist er, ich sag euch, in Wahrheit ist er feig, der Kron.
Drum ist er ein Heckenschütze.

HIRRACH: Dich ohrfeigt er frontal.

DIE DREI: Dich tritt er in den Hintern.
Dich läßt er baumeln.
Doch kein Heckenschütze?
Wie legt man ihn auf die Matte?
Du?
Dudu?
Dududu?
Viermal du?

DIE SENFMILCH *(bringt die Elfen herein)*: Herr Kron schickt eine kleine Abwechslung und wünscht viel Vergnügen.

16. Szene

KRON: Was? Du willst nicht mehr? Vergiß nicht, du bist Aktionär, Mitbesitzer. Das ist also Verrat an der eigenen Firma.

HIRRACH: Ich bin Offizier und Ehrenträger.

KRON: Ehrenträger? Aussteigen will er? Aussteigen? Und seine schöne Lebenshaltung? Will er die nicht mehr? Und seine junge

Frau? Die denkt nur an seine, somit ihre schöne Lebenshaltung.

HIRRACH: Ich werde meine Aktien trotzdem abstoßen.

KRON: Geht nicht.

HIRRACH: Du selbst hast gesagt, daß sie jederzeit abgestoßen werden können.

KRON: Wer sagt, daß ich mich nach mir richten muß? Ich richte mich, wie du siehst, ja auch nicht nach dir.

HIRRACH: Ich werde abstoßen. Unbedingt. Jetzt erst recht.

KRON: Versuch's. Frauchen ist auch Mitbesitzerin. Das weißt du doch, oder?

HIRRACH: Ich werde sie überzeugen.

KRON: Wirst du sie auch überzeugen, daß es notwendig ist, dein Schwänzchen auch in fremden Öffnungen weiden zu lassen?

HIRRACH: Sie wird dir nicht glauben.

KRON: Muß sie auch nicht. Sie wird es wissen. Sie muß sich nur die Filmchen anschauen. Willst du sehen?

HIRRACH: Du, du hast, du hast, du.

KRON: Natürlich hab ich. Also kusch. *(Ohrfeigt Hirrach)* Hast du Fantasie? Hörst du: Fantasie? Kannst du Bergwerke erfinden? Erzanlagen? Flugzeuge? Transporte? Schlösser? Flotten? Nein, kannst du nicht. Du bist zu hohl, um eine Plastikschüssel zu erfinden. Aber ich kann. Ich. Ich trage alles im Kopf. Und wenn der Kopf genug getragen hat, so legt er es in die Welt. Du hilfst nur beim Vertrieb. Beim Vertrieb meiner Erfindungen. Und wenn du nicht mehr hilfst, so bist du wieder arm wie ein gerupfter Gänserich. Und wer arm ist, ist schnell verlassen. Zuerst verläßt dich deine Frau, was soll sie mit einem armen Staatskind, und alle Freunde folgen. Du fällst vom hohen Roß. Das überlebst du nicht. *(Ohrfeigt ihn nochmals)* Also kusch. Kusch. Kasperl, bleib bei deinem Leisten. Hilf weiter. Verlaß dich auf meine Fantasie. Das hält dich oben. Und sag den andern, wie's läuft. Das erspart mir langes Reden. *(Steckt ihm einen Geldschein zu)* Nichts für ungut. Morgen steigt ein Fest. Komm. Feiern, bis die Freude aus deinem Auge wiehert. Edle neue Ware. Und neue Aktien. Hohe Dividende. Wie versprochen. Und vergiß nicht dein Altmaterial, die dritte Lieferung ist fällig. Deine ausrangierten Panzerchen und Fliegerchen stehen unnütz herum. Leg sie dem alten Freund endlich auf den Tisch. Die Kunden warten schon, sie drängen mich. Dreißig Prozent wieder für dich, wie gehabt. Meine Freunde können sich verlassen auf mich.

(Hirrach ab)

KRON: Und meine Feinde auch.

17. Szene

DIE SENFMILCH: Was haben Sie gegen den Hirrach?

KRON: Alles.

DIE SENFMILCH: Alles? Was alles?

KRON: Er ist überflüssig.

DIE SENFMILCH: Überflüssig. Warum?

KRON: Weil tot.

DIE SENFMILCH: Tot?

KRON: So gut wie.

DIE SENFMILCH: So gut wie?

KRON: Er will sich nicht mehr an die Regeln halten. Nicht an meine, nicht an andere. Da wird man tot. Der macht zuviel durcheinander. Drum bringt er auch alles durcheinander. Eine Gefahr. Wenig Leute, wenig Zeug, wenig, wenig, die Übersicht behalten. Er verliert sie. Ich bin nicht allein. Ich kann ihn nicht mehr halten.

DIE SENFMILCH: Ich verstehe nichts.

KRON: Man hat Erstfreunde und man hat Zweitfreunde. Die Zweitfreunde kennt man gar nicht. Aber sie sind da. Und sie achten darauf, daß die Erstfreunde nie vergessen, wem sie ihr Gesicht verdanken.

DIE SENFMILCH: Ich verstehe noch immer nichts.

KRON: Sollen Sie auch nicht. Schauen Sie nicht in Hintergründe.

DIE SENFMILCH: Tot?

KRON: Ja, tot.

DIE DREI: Proletendracula, Vorstadtdracula. *(Alle lachen schallend)*

1. ELFE: Wir müssen seine Stange brechen.

2. ELFE: Oho, das ist sein Bestes.

3. ELFE: Er fickt nicht, er malträtiert nur.

4. ELFE: Ich werde gern so malträtiert.

KLEINSTSCHMID: Einig seid ihr. Zwei werden gern gefickt, zwei nicht. Und ihr, wir?

LEBERSORGER: Wir müssen seinen Kopf brechen.

BEINSTANGL: Nur dank diesem Kopf lebe ich.

HIRRACH: Er läßt uns leben und malträtiert uns dabei.

KLEINSTSCHMID: Malträtieren mit Geld, das laß ich mir gefallen.

1. ELFE: Achtung, Achtung, ihr seid einig. Zwei haben schon genug Geld, zwei nicht.

2. ELFE: Wir stehen pari, wir alle.

3. ELFE: Und damit in seiner Schuld.

KLEINSTSCHMID: Unsere Hände sind gebunden.

LEBERSORGER: Mit Geldbündeln.

BEINSTANGL: Wir leben wie die Maden im Speck, wir können aber nicht raus aus dem Speck, wenn wir dereinst vielleicht einmal möchten.

HIRRACH: Möchten wir?

KLEINSTSCHMID: Können wir?

LEBERSORGER: Dürfen wir?

BEINSTANGL: Sollen wir?

1. ELFE: Wie beliebt's denn? Wie beliebt's denn, ihr Schweine, ihr geilen Schweine?

2. ELFE: Ihr habt die Hosen runtergelassen, und jetzt kriegt ihr sie nicht mehr hinauf.

3. ELFE: Die Falle ist zu. Die Falle ist zu für euch.

4. ELFE: Sie haben die Sprache der Entschlossenen und die Taten der Zauderer.

KLEINSTSCHMID: Zum Teufel mit euch. Außer zwischen den Beinen wart ihr auch noch nicht rege.

1. ELFE: Wir haben uns selbst entschlossen, unser Leben im Liegen

zu bestreiten. Ihr aber kommt aus Ämtern, aus hohen Ämtern, und seid auch nur bei uns gelandet.

LEBERSORGER: Ihr ordinären Löcher, werdet ihr wohl mehr Achtung haben?

2. ELFE: Vor kleinen, geilen Schiebern?

3. ELFE: Vor kleinen, geilen Kuschern?

4. ELFE: Vor kleinen, geilen Handaufhaltern?

BEINSTANGL: Respekt bitte. Wir sind die Träger der großen Idee vom Staat, Staatsträger.

DIE ELFEN *(lachen prustend)*: Rechtsträger? Oder Linksträger?

DIE DREI: Er wird euch einmal erschießen, wenn er besoffen ist. Ich wünsch es euch.

1. ELFE: Man muß nur vorsichtig sein. Ich geh immer rückwärts rein. Weil der Kron nimmt die Western ernst. Der schießt keinen Menschen in den Rücken. Eure Wünsche funktionieren nicht.

DIE DREI: Dann werden wir euch selbst …

KRON *(kommt herein, jovial)*: Oho, alle Vasallen versammelt, alle. Die Weiblein und die Männlein. Ein schönes Treffen.

(Alle grinsen blöd, begrüßen Kron devot)

19. Szene

(Die Elfen sitzen und trinken)

1. ELFE: Der Chor ist der Boden der Menschheit.

2. ELFE: Der Chor ist alles, der Solist nichts.

3. ELFE: Der Boden der Menschheit ist ein Stall.

4. ELFE: Der Stall des Menschen wird gesäubert. Der Stall des Menschen ist sein Heim. Der Stall des Menschen ist sein Schloß. Sein Schloßheim.

1. ELFE: Sein Schloßheim liebt der Mensch.

2. ELFE: Wohlig lebt er sich ein.

3. ELFE: Wohlig entleibt er sich darin.

4. ELFE: Und wohlig bringt er sich durch.

1. ELFE: Mit allen Umständen.

2. ELFE: Und Launen.

3. ELFE: Und Zuständen.

4. ELFE: Bringt mir die Lust, und ich zeig euch die Berge.

1. ELFE: Warum?

2. ELFE: Warum?

3. ELFE: Soll das verstehen, wer will.

4. ELFE: Oder muß.

1. ELFE: Dem Weltvertrauen nahetreten.

2. ELFE: Das Sein ist gut.

3. ELFE: Was?

4. ELFE: Was?

1. ELFE: Warum?

2. ELFE: Das Böse ist lieb und gut.

3. ELFE: Was?

4. ELFE: Was?

1. ELFE: Warum?

2. ELFE: Dem Weltvertrauen auf die Zehen treten.

3. ELFE: Der Weltliebe zugehen.

4. ELFE: Ja.

1. ELFE: Das Personsgefüge gleicht sich aus zwischen den Därmen.

2. ELFE: Am Damm gleicht sich der Mensch. Nur dieses kurze Stück ist gleich. Es verbindet Mensch mit Mensch.

3. ELFE: Der Tod als Feier des Menschentums.

4. ELFE: Was?

1. ELFE: Was?

2. ELFE: Warum?

3. ELFE: Den Tod feiern als Menschenrest.

4. ELFE: Der Lehrer ist der gute Hirte.

1. ELFE: Der Lehrer Kron.

2. ELFE: Der gute Hirte ist böser und böser geworden übers Jahrtausend.

3. ELFE: Schön.

4. ELFE: Der Teufel kommt im Kostüm. Mit Büroschritt, Büroaugen und Klamaukhütchen.

1. ELFE: Das Gegenteil von lieb und gut, von lieb und gut ist … ist … ist … ist … schwach und blöd.

2. ELFE: Nur der Mensch braucht Moral, sonst niemand.

3. ELFE: Das reine Tier braucht keine Moral. Die Pflanze auch nicht.

4. ELFE: Der Mensch beschmutzt sich. Er braucht Moral.

KRON *(stürmt herein)*: Wie? Müßig? *(Ohrfeigt eine nach der andern)* Seid tätig. Faulheit bringt Geilheit. Das wißt ihr doch.

DIE ELFEN: Faulheit bringt Geilheit.

KRON: Und Geilheit bringt Hurenheit.

DIE ELFEN: Und Geilheit bringt Hurenheit.

KRON: Und Hurenheit bringt Krankheit.

DIE ELFEN: Und Hurenheit bringt Krankheit.

KRON: Und Krankheit bringt Elendigkeit.

DIE ELFEN: Und Krankheit bringt Elendigkeit.

KRON: Und Elendigkeit bringt Totheit.

DIE ELFEN: Und Elendigkeit bringt Totheit.

KRON: Und die wollen wir doch nicht. Fangen wir von vorn an. *(Greift allen an die Brüste)* Bei der Geilheit.

DIE ELFEN *(kichern)*: Geilheit, Geilheit, Geilheit. *(Schenken Champagnergläser voll, kichern wieder)* Geilheit, Geilheit, Geilheit.

KRON: Wie wär's mit ein bißchen Schwängern?

DIE ELFEN: Schwängern, schwängern, schwängern. Dudldu, dudldü.

KRON: Dir mach ich noch ein Kommunistenschwein in den Bauch hinein.
Dir mach ich noch ein Faschistenschwein in den Bauch hinein.
Dir mach ich noch ein Royalistenschwein in den Bauch hinein.
Dir mach ich noch ein Demokratenschwein in den Bauch hinein.

KRON: Er ist ein großer Ficker. Er ist ein Riesenmann. Er ist ein großer Ficker. Er ist ein Menschenschwamm. Hotojoho, hotojoho.

20. Szene

HIRRACH *(zieht eine Pistole)*: Du hast mich erledigt, ruiniert. Ich erschieß dich. Jetzt erledige ich dich.

KRON: So, so, du erschießt mich.

HIRRACH: Ja, ich erschieß dich.

KRON: Mich, deinen Wohltäter? Mich, der dir das Leben erst gezeigt hat?

HIRRACH: Ich erschieß dich, dich, dich, meinen …

KRON: Du zitterst. Und du solltest deine Augen sehen. Angst. Mit solchen Augen schießt man nicht.

HIRRACH: Ich bin Offizier. Ich schieße.

KRON: Nicht du, die Republik könnte schießen auf mich. Das könnte ich verstehen.

HIRRACH: Ich tu es für sie. Als ihr Offizier.

KRON: Hier bist du Hirrach, der kleine Schieber, sonst nichts. Und hast Angst, sonst nichts. Und trägst deine ganze Unsicherheit in deinen Augen, sonst nichts.

HIRRACH: Du hast mir meine Sicherheit genommen. Meine Würde.

KRON: Das hast du selbst getan. Du bist unvorsichtig geworden. Du hast die Zweitfreunde vergessen. Unverzeihlich. Solche Fehler macht man nicht.

HIRRACH: Meine Würde, meine Sicherheit. Ich werde sie mir zurückholen.

KRON *(geht langsam auf Hirrach zu)*: Und wenn du mich erschießt, bekommst du sie zurück? Laß das.

HIRRACH: Ich tu's.

KRON: Du tust gar nichts. Du machst nichts Endgültiges.

HIRRACH: Doch. Für eine Sekunde meines Lebens zumindest will ich mich nicht schämen müssen. Für diese.

KRON *(lacht)*: Er klingt so lächerlich entschlossen. *(Ergreift blitzschnell Hirrachs Hand, dreht sie ihm um, drückt ab, Hirrach fällt tot um)* Du Idiot! Du Offizier! Hast du nicht gewußt, daß Schüsse nach hinten losgehen?! *(Hebt Hirrach halb vom Boden hoch, schaut ihm ins Gesicht)* Wieder ein Unersetzlicher gestorben. Morgen wird er ersetzt sein. Für manche ist es besser, auf der anderen Seite zu sein. Es können nicht alle leben. *(Schreit in den nächsten Raum)* Da, schau ihn an, hier ist er, dein Offizier. Hier ward der Stiefel aufgestellt.

(Marlene kommt herein, in Unterwäsche)

KRON: Mein Beileid. Witwen muß man kondolieren, bevor sie betrunken umfallen. Wirf ihn weg. Wirf ihn weg. Sein altes Zeug brauch ich auch nicht mehr. Ich bin schon weiter, im nächsten Plan. Wirf ihn weg. Begrab ihn an der Biegung des Flusses. Nichts ist unbrauchbarer als ein toter Offizier. Wirf ihn weg.

(Marlene lacht nur blöd)

DIE ELFEN *(stellen sich um den Leichnam, singen nach der Melodie von »Ich hab mich ergeben«)*:

Der Mensch braucht die Ruhe,
der Mensch braucht die Ruh,
und weil der Mensch die Ruhe braucht,
drum braucht der Mensch die Ruh.

KRON: Die andern werden jetzt wissen, wenn sie noch immer nicht gewußt haben. Eherne Freunde werden sie sein. Erst bis morgen, dann bis zum Untergang.

(Die Drei kommen herein, mit den Masken, ihre Zeigefinger als Pistolen auf Kron gerichtet, der lacht schallend beim Anblick der Drei, die lachen dann auch)

KRON: Frau Senfmilch, organisiere Sie ein Fest. Morgen. *(Streicht den vier Elfen über ihre schwangeren Leiber)* Schöne Kinder werden die. Die Kleinen, sie sollen leben in Frieden in dieser Welt.

(Mutter kommt herein, langsam, ganz in Schwarz)

KRON: Oh, Trauer. Trauer umfängt mein Herz. Komm zu mir, laß uns zusammen trauern. Laß dich umfangen. *(Will sie umarmen)*

MUTTER *(weicht zurück)*: Wen du umarmst, der stirbt. Zwei sind genug.

(Kron lacht, das Lachen wird immer verzweifelter und hysterischer, weicht vor Mutter zurück, die nun auf ihn zugeht. Beide langsam ab. Von hinten hört man:)

KRON: Was wollen Sie noch, Senfmilch?

DIE SENFMILCH: Schwarze Kleider und mein Gehalt. Und was wollen Sie?

KRON: Retten, retten, retten. Alle und alles erretten. Ich, der göttliche Clown, der drollige Messias. Es ist Zeit für den Krieg, um alle zu erretten. Krieg, Krieg. Retten, retten. *(Lacht hysterisch und durchdringend)*

21. Szene

(Kron allein, trinkt. An der Wand hängen die Masken der Drei und Hirrachs Totenmaske)

KRON *(spricht zu den Masken)*: Liebe Herren und Schweine! Liebe Freunde und Schweine! Jede Ordnung wird mir verschlossen sein. Ich brauche auch keine. Ordnungen sind Haltegriffe für Idioten und Fantasielose. Die Fesseln der Menschheit sind aus Papier, auf dem unsere Regulationen festgeschrieben sind. Ja, festgeschrieben, so fest wie Fels. Wenn man klaut vom Tisch des stinkend reichen Vielfraßes, was ist das? Was? Ich sag es euch: das ist ein Der-Regel-Entkommen. Das ist Brechen der Unvernunft. Wozu also Ordnungen? Ordnungen schreiben die Unvernunft fest. Das Wesen des Menschen aber schreit nach ihr. Ordnung, Ordnung, Ordnung, schreit das Menschlein Tag und Nacht. Ordnung, Ordnung, Ordnung. Und mit diesem Menschlein soll ich leben in Frieden? Ich weiß ja nichts über dieses Menschlein. Und ich will nichts wissen. Das Wesen des Menschen, ich weiß es nicht. Und wenn ich es wüßte, was nützt es mir? Ich genieße meine Mitmenschen. Sie sind meine Mitspieler. Ich genieße sie. Ihren Geruch, ihre Hände, ihre Nerven, ihre Gesichter. Ich spiele gegen sie, und sie spielen gegen mich. Ausgang ungewiß. Gewinner und Verlierer stehen näher beisammen, als man denkt. Und wer ist tatsächlich der Gewinner? Informiertheit zählt, nicht Kenntnis. Wir sind das erste Jahrhundert, das auf Kenntnis verzichten kann, weil es sich die Information gefügig gemacht hat. Ein gewaltiges Jahrhundert. Möge das nächste beginnen, wie das alte endet. Das einzige Geschäft, das taugt, ist, sich selbst etwas zu verkaufen. Man ist sein eigener Markt. Da bestimmt man selbst den Preis, und niemand widerspricht. Dieses Jahrhundert machte es möglich. Ein großes Jahrhundert. Wer sagt da, wir sind keine Poseure? Ich will den Zugang zum Paradies. Jetzt. Genießen! Jetzt. Jeder Baum wird älter als ich. Er hat mehr Zeit als ich. Genießen, informieren, durchschauen. Jetzt. Wie kann man leben ohne Unbekanntes vor sich! Aber der erste muß man sein, dem das

Unbekannte bekannt wird. *(Lacht plötzlich)* Blöd und kindisch bin ich. Aber vergebt mir nicht. Auch ich vergebe euch nicht, ihr Ochsen. Ihr habt euch dem Schwein hingegeben, nun erwartet nicht, daß ihr sauber bleibt. Ich vergebe euch nicht den Umgang mit mir. Mit jedem Geldschein demütige ich euch. Mit jedem Geldschein, mit jeder Flasche Wein, mit jeder Hure lasse ich euch wissen, daß ich euch euren Fall nicht vergebe. Ich besorge die Huren für euch, bis die Freude aus euren Augen wiehert, aber ich ertränke euch in Verachtung. Und ich trete euch mit Stiefeln, wenn ihr je vergeßt, wem ihr Treue schuldig seid. Vergnügt euch. Hinaus mit Trübsal aus dem Kopf. *(Pfeift nach den vier Elfen, wie man nach Hunden pfeift, die vier kommen augenblicklich herein, Kron deutet auf die vier Masken)* Greift sie euch, faßt sie. Saugt sie aus, bis sie trockengelegt sind. Kein Säftchen mehr soll in ihnen sein. Zieht ihnen den Schweinigel aus dem Leib, diesen Schweinigeln. Und du, Hirrach, vergiß die Panzer nicht. Ich warte seit zwei Wochen schon. Greift sie euch.

(Die Elfen werfen sich schreiend auf die vier Masken an der Wand)

KRON: Raus mit euch! Ihr langweilt mich heute. Raus!

(Die Elfen laufen sofort aus dem Raum)

KRON: Liebe Herren und Schweine! Liebe Freunde und Schweine! Ich wiederhole: selbst anpacken. Du mußt selbst. Die Welt hat nur blöde und fromme Wünsche für dich. Du mußt selbst tun. Und den andern wünschen. Sollen sie zufrieden sein mit Wünschen, nicht ich. Ich brauche das Resultat, das selbst gewählte, selbst genommene, das selbst erzwungene, meinetwegen. Brachial erzwungen, aber mein. Um Resultate zu bekommen, muß man aufstehen, meine lieben Herren und Schweine. Die Ehrbarkeit erhalten, aber nicht das Leben? Ich bin gerührt. Das ist so weinerlich, fehlt nur noch ein Cello dazu, und ich breche in Tränen aus. Rührende Geschichten mit Cello, da zerfließt man. Drum darf mir nie ein Cellospieler in die Nähe kommen. Kein Cello, nie ein Cello in meiner Nähe. *(Lacht)* Alle Schweine sind Positionen des Allzumenschlichen auf das Menschliche. Der Markt des Lümmels ist ohne Grenzen und ohne Scham. Die

Ehrbarkeit erhalten, aber nicht das Leben? Da hat was geschehen müssen. Die Politik ist die Wirksamkeit des Individuums auf die Masse. Oder umgekehrt? Oder wie sonst? Und die Freiheit der Rede wird zuallererst von den Idioten genützt. Ich will da nicht verloren gehen. Menschen ohne Geld sind häßliche Menschen, filetierte Menschen. Armut ist Unnatur. *(Reißt die Masken von der Wand)* Die Macht hat kein Interesse, sich zu zeigen. Die wirklich Mächtigen kennen wir nicht. Wir kennen nur unsere Kirtagsstandler, die sich einbilden, einen Staat zu regieren. Regiert wird woanders, hier wird gehorcht, werden Befehle administriert. In diese Administration schalte ich mich ein. Die wirkliche Macht redet nicht mit dir. Die will nur Demut. Dann läßt sie dich. Ich will ihr Blutsbruder werden, ihr geliebter Blutsbruder. Der Ölberg spricht weiter. An was ist der Lebersorger gestorben, dieser Nichtsnutz und bequeme Narr? He, du Staatenlenker, he, du Staatenhenker. Wieder nur eine Null, die betrügt. An einem Herzinfarkt? So einen blöden Tod kann ich mir nicht leisten. Selbst der Hirrach ist stärker gestorben. Er war gerecht zu sich. Er ist zu Gericht gesessen über sich, hat sich für schuldig befunden und hat sein Urteil vollzogen. Ein edler Tod. Und die anderen? Ich kann mich nicht um jeden Tod kümmern. Das Leben beschäftigt mich genug. Einer schießt sich zu Tode, der andere frißt sich zu Tode. Ich lebe und schmähe mich zu Tode. *(Pause)* Ich möchte fallen. Nach Kampf. Nicht gestorben. Gefallen. Gefallen. Die Hinfälligkeit, die Hinfälligkeit, die kommt über jeden Menschen. Die Schizophrenie ist die Krankheit des Jahrhunderts. Pflegen wir sie, wenn wir ihr nicht auskommen. Machen wir sie dienstbar. Organisieren wir sie. Organisierte Schizophrenie ist Narrenfreiheit. Die Hinfälligkeit kommt über jedes Jahrhundert, der Hinfälligkeit kommt auch kein Jahrhundert aus. Götter beschenken uns oder brechen uns das Genick. Zumeist brechen sie uns das Genick. Auch sie sind hinfällig. Das ganze Universum ist hinfällig. Nur Genuß tröstet. Der ewige Genuß. Nur so entkommen wir der lächerlichen Ewigkeit, über dieses Provisorium von Leben. Das Leben ist ein Befehl, genauso wie das Sterben. Nie die Lust verlieren, sich umzubringen. Keinen Tag will ich versäumen, wenn sich die Welt erfüllt. Im Leben oder im Tod. Elisa! Retten, retten, retten! Ich bin berufen zu retten. Der Ölberg rettet. Das Volk und das abgeordnete, abgesonderte Volk. Und das eine Volk reist herum und hält Konferenzen und Sitzungen über das andere ab. Welcher Teil des Volkes will man sein? Das Volk der Retter! Die Welt, diese Arschheit, soll salutieren vor mir. Die Welt wird schön, wenn sie Angst hat. Und nur Retter sind imstande, Angst zu machen. Vor nichts fürchtet sich der Mensch mehr als vor den Rettern der Menschheit. Er weiß um die Retter durch die Jahrhunderte. Und wirft sich ihnen dennoch an den Hals. *(Beginnt die Einrichtung zu zertrümmern)* Nicht nur, was aus meinem Kopf, auch alles, was aus meinen Händen kommt, stört mich. Auch meine Liebkosungen. Und alles, was aus meinem Körper kommt, stört mich auch. Auch meine Kinder. *(Zertrümmert weiter, immer heftiger)* Hier, am Ende der Welt, ist gut leben. Nur Enden hat die Welt. Aber hier ist mein Weltenende, mein eigenes Ende der Welt, nur mir gehörend. Wer der Reinheit verfallen und dienen will, muß in Einsamkeit leben. Aber wer hält die schon aus? Einsamkeit ist Disziplin. Einsamkeit ist Ordnung. *(Zertrümmert weiter)* Die Welt ist eine Lottotrommel, die sich dreht wie sie, und die Kugeln hüpfen hin und her. Für die Lottogesellschaft ist es egal, welche sechs Zahlen rausfallen, es müssen nur unbedingt sechs Zahlen sein, damit das ganze System in Gang bleibt. Und nur wer die Trommel dreht und sie laufen läßt, dreht auch die Welt. Drehen, drehen, drehen, immer drehen. Die Kugeln müssen springen, springen, ohne Pause. *(Zertrümmert weiter in wildem Furor)* Man muß so schweinisch sein wie der Staat, um ihm beizukommen. Und dann noch schweinischer, um ihn zu überholen. Auf seinen eigenen Vehikeln. Dieses Land ist zum Speien, aber ich bleibe hier. Nicht weil ich es so liebe. Ich möchte es ausrauben. Diese Republik bringt sich fort und wurschtelt sich fort, obwohl sie kaum noch existiert. Der Pfusch der Welt. Der Weltenpfusch. *(Tobt immer wilder)* Das Schweigen ist nicht meine Sache. Und doch: Reden macht träge. Das Schweigen den anderen. Ich weiß, aber ich kann nicht anders. *(Reißt die Bilder von der Wand)* Der Tod? Tote passieren eben. Jedem. Früher oder später hat jeder seinen Toten. Früher ist besser. *(Lacht und zertrümmert weiter dabei. Schreit nur mehr Wortbrocken)*

DIE SENFMILCH *(kommt herein, schaut dem Tobenden eine Weile zu)*: Was ist los?

KRON *(deutet auf die Trümmer)*: Was los ist? Wiederaufbau. Die größten Künstler sollen mir das Paradies bauen. Wiederaufbau. Wiederaufbau, Senfmilch. *(Ab)*

DIE SENFMILCH: Wiederaufbau. Gut, Wiederaufbau. Für wen? Wozu? Ach ja. *(Klatscht in die Hände)* Alle her zu mir. Der Herr schreit um Bedeutung.

Eventuelle Ähnlichkeiten mit real existierenden Personen sind rein zufällig und vom Autor nicht beabsichtigt.

Aufführungsrechte beim S. Fischer Verlag, Frankfurt am Main

Einbandgestaltung: Franz Hanns
Druck: MANZsche Buchdruckerei Stein & Co., Wien

Printed in Austria

ISBN 3-216-30409-4